命若琴弦

史鐵生小說精選集

史鐵生　著

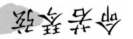

推薦序／殘酷的贈與

黃錦樹

被票選為中國「九十年代十大作家」之一的史鐵生，並不是個多產作家，但量少質精，仍然十分可觀。尤其異於同時代人的是，他後期的作品思辨的色彩加重了，甚至難免令人感覺抽象及難以親近。譬如其《務虛筆記》似乎想要以一種特別抽象的方式總結那一代人關於命運的困思。他的同時代人小說家王安憶曾如此解釋史鐵生創作前後期的轉變，作品抽象化的由來：

自從坐上輪椅，史鐵生不得已削弱了他的外部活動，他漸漸進入一種冥思的生活。對這個世界上的許多事物，他不是以感官接觸，而是用認識，用認識接近，感受，形成

自己的印象。這樣，他所攫取的世界便多少具有著第二手的性質。……命運已經規定史鐵生身處概念，他不可能回到自然，殘疾取消了他回進自然的條件。史鐵生是沒有退路的。①

這是唯物論者王安憶的特殊診斷，預設了經驗優先於思辨、具體優於抽象。王安憶提出史鐵生唯一可走的路是「從這個概念的世界裡索獲理性的光明。」這樣的提示可以說對也可說不對。經驗是否優先於思辨？具體是否優於抽象？從寫實的立場來看，那是毫無疑義的；自然——經驗——寫實是作品的生命，先於其他的一切。然而或許是命運使然，史鐵生卻已經是那麼樣的一個現代主義者，從《務虛筆記》來看，現實的物質性已讓位於形式與思辨的物質性，這其實是中國大陸新時期文學最重要的道路之一——現代主義（及其重影）的重返。

殘疾或許侷限了史鐵生成年後的經驗，但不少大小說家都指出，二十五歲以前是體驗世界，此後不過是以逐漸擴大累積的公共資源、人類文明的遺產來解釋它；這也是艾略特〈傳統與個人才華〉呼籲詩人二十五歲以後如果想繼續寫作必須有歷史感的緣由——不但要理解過去的過去性，而且還要理解過去的現存性；歷史意識不但使人寫作時有他那一代的背景，而且還要感到從荷馬以來歐洲整個的文學有一個同時的存在，組成一

個同時的局面，這個歷史的意識是對於永久的意識，也是暫時的意識，也是對於永久和暫時的合起來的意識。就是這個意識使一個作家成為傳統性的。②

這段涵義豐富的文字其實深刻的界定了何謂文學的現代性（它和傳統性之間的辯證關係）③。由於不存在絕對的新穎性（「新」都是相對的，或是時間上的相對，或是地域上的）——除非它是不可表述的；一旦被表述、一旦進入表述系統，個人經驗的絕對特殊性就只能是相對的（「家族相似」），它總是相似於某些已被表述的經驗或感覺。這是人類表述史早已論證了的，「莫道君行早，更有早行人」。在這一點上，與文明遺產的對話——與有過類似經驗或苦難的異代心靈的私語商議——轉化暫時的（特殊的）為永久的（普遍的），歷史與傳統在這樣的對話中得以合理的回歸。在二十多年文化大破壞後的中國，這方面應還有很大的努力空間。似並不為經驗的貧困所限。

另一方面，從理論的立場來看，譬如結構主義者不只看出千變萬化的文學形式背後的程式，更企圖看出可能經驗背後的共同結構，不管那是原型、集體無意識還是心靈的圖式。於是在文學與經驗的後頭，是哲學的古老論辯，是人類對於世界與存在的永恆困思，形而上衝動。經驗世界的紛陳現象，究竟是雜亂無序的，還是有它深不可測的規

律？命運真的是偶然的嗎？還是別有超驗的意義？

當文學往這個方向走，經驗與現象的無限性本身，就不再是目的了。它趨近哲學。或者思考萬有的律則，或者探索歷史的規律。身處苦難重重的現代中國，這是現代中文文學必走之路。另一方面，從現代主義到法國新小說，對應現代的鉅變，文學的唯物主義早已把十九世紀老寫實主義轉化為文字與形式的唯物主義。史鐵生的後期作品，走的正是這條路；把上天給予的一切（那一代的共同經歷——共和國的孩子、紅衛兵、知青上山下鄉；上一代的遭遇——反右、批鬥、背叛、愛；自身的特殊命運——殘疾）都看做是反思與書寫的起點。尤其是殘疾這種決定性的、不可逆的創傷，作為殘酷的贈禮，存在的侷限，更構成了史鐵生書寫的奠基性根源。但那也同時是一個特殊而殘酷時代的隱喻，兩個世代知識人共同的心靈狀態。史鐵生筆下的地壇（「古園」）便是那麼樣一個舞台，形形色色（心靈）殘疾人的展示場，療養地（〈我與地壇〉）。

《命若琴弦——史鐵生小說精選集》收錄了中短篇小說共七篇，大致應證了王安憶描述的史鐵生的創作從具體到抽象的歷程，寫知青陝北牧牛經驗的如〈我的遙遠的清平灣〉頗具田園牧歌風味，如同時代知青文學常見的，對農民牧民有著由衷的敬意。最富情感色彩的〈奶奶的星星〉以童稚觀點寫舊時代一個善良女人的悲劇命運，舊時代被客

畜的財主婆家剝削，解放後階級成份竟被劃為（空頭）富農，凸顯階級劃分的粗糙荒謬及殘忍。是經歷反右的一代的普遍的家族傷痕，共同記憶。〈法學教授及其夫人〉以漫畫的手法嘲諷反右；但效果其實不如精簡的〈午餐半小時〉——以半小時午餐的時空切割，透過對話及動作表達出小市民嘲諷的幻想——被高幹的「紅旗」撞上了以改善各自身陷的生活窘境——譏諷了彼時的政治現狀。〈命若琴弦〉、〈毒藥〉是兩則寓言，其中前者最為可觀，頗具民間神話色彩。一老一年輕兩個瞎子，一個代代傳承的許諾——彈斷一千根弦即可以得到一紙讓他們重見天日的藥方——這希望如信仰般讓瞎子熬過種種人世的磨難。老瞎子終於完成傳說中的數額，卻發現流傳下來的藥方不過是白紙一張。心灰之餘，卻達到了不同的領悟，從象徵的角度來看，的確，他「看」世界的方法改變了——生命的意義轉而是設法把希望傳下去，經由改變的諭旨——加碼到一千兩百根弦。如此回過頭論證了何以代代師徒總是沒有人完成那規定的數額——老瞎子的師父只完成八百根弦，那大概是更上一代定下的額度——總是被灰心的啟悟延長，以傳諸後人。這是善意的謊言，也是宗教寓言，過來人的故事對新來者的教諭——有希望方能熬過重重苦難，但恰是生命的苦熬見證了它的價值。作者藉由兩代殘疾人的牽引，寫出了自身對於殘疾這一命運的殘酷贈禮的價值思索——迎戰，方得以轉化。小說的氛圍有一

股太古洪荒感，古老的山、雲、路、村落，彷彿一樣古老的兩個瞎子，一前一後的走過古老大地。好像一直以來就是那個樣子，總有那麼兩個瞎子，相似的命運，在不同的個體身上重複。如此這般，經驗就接近了原型。再怎麼悲苦的命運都有人經歷過，有智慧的人還留下了藥方一般的教諭，好讓後來者可以沿轍度過難關。這反過來成了那殘酷贈禮的意義。而在一定意義上（或從精神分析的觀點看）所有的人都是殘疾人——尤其是經歷了極權主義有形無形的迫害——差別在於程度、方式，《務虛筆記》著力論證了這一點。

從殘疾人的形象最初出現於〈我的遙遠的清平灣〉，那知青落下殘疾；在〈午餐半小時〉裡坐著輪椅串場；〈我與地壇〉成了主人公，以地壇為沈思的舞台；〈命若琴弦〉裡轉化為古老形象，《務虛筆記》成了思辯主體，艱辛的走上一條較少人會那樣被迫走上的命運之路。

---

① 王安憶，〈精誠石開〉是其為《務虛筆記》台灣繁體字版寫的推薦序。

② 〈傳統與個人才華〉，何尚主編，《窺探魔桶內的祕密》，廣東經濟出版社，1999。頁44。

③ 暫時的意識／永久的意識之辯證統合從波特萊爾到保羅・德曼都可以找到親切的回音。

命若琴弦

莽莽蒼蒼的群山之中走著兩個瞎子，一老一少，一前一後，兩頂發了黑的草帽起伏躦動，匆匆忙忙，像是隨著一條不安靜的河水在漂流。無所謂從哪兒來，也無所謂到哪兒去，每人帶一把三弦琴，說書為生。

方圓幾百上千里的這片大山中，峰巒疊嶂，溝壑縱橫，人煙稀疏，走一天才能見一片開闊地，有幾個村落。荒草叢中隨時會飛起一對山雞，跳出一隻野兔、狐狸、或者其他小野獸。山谷中常有鶴鷹盤旋。

寂靜的群山沒有一點陰影，太陽正熱得兇。

「把三弦子抓在手裡，」老瞎子喊，在山間震起回聲。

「抓在手裡呢。」小瞎子回答。

「操心身上的汗把三弦子弄濕了。弄濕了晚上彈你的肋條？」

「抓在手裡呢。」

老少二人都赤著上身，各自拎了一條木棍探路，纏在腰間的粗布小褂已經被汗水泅濕了一大片。蹚起來的黃土乾得嗆人。這正是說書的旺季。天長，村子裡的人吃罷晚飯都不呆在家裡；有的人晚飯也不在家裡吃，捧上碗到路邊去，或者到場院裡。老瞎子想趕著多說書，整個熱季領著小瞎子一個村子一個村子緊走，一晚上一晚上緊說。老瞎子一天比一天緊張、激動，心裡算定：彈斷一千根琴弦的日子就在這個夏天了，說不定就在前面的野羊坳。

暴躁了一整天的太陽這會兒正平靜下來，光線開始變得深沉。遠遠近近的蟬鳴也舒緩了許多。

「小子！你不能走快點嗎？」老瞎子在前面喊，不回頭也不放慢腳步。

小瞎子緊跑幾步，吊在屁股上的一只大挎包叮啷哐啷地響，離老瞎子仍有幾丈遠。

「野鴿子都往窩裡飛啦。」

「什麼？」小瞎子又緊走幾步。

「我說野鴿子都回窩了，你還不快走！」

「噢。」

「你又鼓搗我那電匣子呢。」

「噫——！鬼動來。」

「那耳機子快讓你鼓搗壞了。」

「鬼動來！」

老瞎子暗笑：你小子才活了幾天？「螞蟻打架我也聽得著，」老瞎子說。

小瞎子不爭辯了，悄悄把耳機子塞到挎包裡去，跟在師父身後悶悶地走路。無盡無休的無聊的路。

走了一陣子，小瞎子聽見有隻獾在地裡啃庄稼，就使勁學狗叫，那隻獾連滾帶爬地逃走了，他覺得有點開心，輕聲哼了幾句小調兒，哥哥呀妹妹的。師父不讓他養狗，怕受村子裡的狗欺負，也怕欺負了別人家的狗，誤了生意。又走了一會，小瞎子又聽見不遠處有條蛇在遊動，彎腰摸了塊石頭砍過去，「嘩啦啦」一陣高粱葉子響。老瞎子有點可憐他了，停下來等他。

「除了獾就是蛇，」小瞎子趕忙說，擔心師父罵他。

「有了庄稼地了，不遠了。」老瞎子把一個水壺遞給徒弟。

「幹咱們這營生的，一輩子就是走，」老瞎子又說。「累不？」

小瞎子不回答，知道師父最討厭他說累。

「我師父才冤呢。就是你師爺，才冤呢，東奔西走一輩子，到了沒彈夠一千根琴弦。」

小瞎子聽出師父這會兒心緒好，就問：「什麼是綠色的長乙（椅）？」

「什麼？噢，八成是一把椅子吧。」

「曲折的油狼（遊廊）呢？」

「油狼？什麼油狼？」

「曲折的油狼。」

「不知道。」

「匣子裡說的。」

「你就愛瞎聽那些玩藝兒。聽那些玩藝兒有什麼用？天底下的好東西多啦，跟咱們有什麼關係？」

「我就沒聽您說過，什麼跟咱們有關係。」小瞎子把「有」字說得重。

「琴！三弦子！你爹讓你跟了我來，是為讓你彈好三弦子，學會說書。」

小瞎子故意把水喝得咕嚕嚕響。

再上路時小瞎子走在前頭。

大山的陰影在溝谷裡鋪開來。地勢也漸漸的平緩，開闊。

接近村子的時候，老瞎子喊住小瞎子，在背陰的山腳下找到一個小泉眼。細細的泉水從石縫裡往外冒，淌下來，積成臉盆大的小窪，周圍的野草長得茂盛，水流出去幾十米便被乾渴的土地吸乾。

「過來洗洗吧，洗洗你那身臭汗味。」

小瞎子撥開野草在水窪邊蹲下，心裡還在猜想著「曲折的油狼」。

「把渾身都洗洗。你那樣兒準像個小叫花子。」

「那您不就是個老叫花子了？」小瞎子把手按在水裡，嘻嘻地笑。

老瞎子也笑，雙手掬起水往臉上潑。「可咱們不是叫花子，咱們有手藝。」

「這地方咱們好像來過。」小瞎子側耳聽著四周的動靜。

「可你的心思總不在學藝上。你這小子心太野。老人的話你從來不著耳朵聽。」

「咱們準是來過這兒。」

「別打岔！你那三弦子彈得還差著遠呢。咱這命就在這幾根琴弦上，我師父當年就這麼跟我說。」

泉水清涼涼的。小瞎子又哥哥呀妹妹的哼起來。

老瞎子挺來氣：「我說什麼你聽見了嗎？」

「咱這命就在這幾根琴弦上，您師父我師爺說的。我都聽過八百遍了。您師父還給您留下一張藥方，您得彈斷一千根琴弦才能去抓那付藥，吃了藥您就能看見東西了。我聽您說過一千遍了。」

「你不信？」

小瞎子不正面回答，說：「幹嘛非得彈斷一千根琴弦才能去抓那付藥呢？」

「那是藥引子。機靈鬼兒，吃藥得有藥引子！」

「一千根斷了的琴弦還不好弄？」小瞎子忍不住嗤嗤地笑。

「笑什麼笑！你以為你懂得多少事？得真正是一根一根彈斷了的才成。」

小瞎子不敢吱聲了，聽出師父又要動氣。每回都是這樣，師父容不得對這件事有懷疑。

老瞎子也沒再作聲，顯得有些激動，雙手搭在膝蓋上，兩顆骨頭一樣的眼珠對著蒼天，像是一根一根地回憶著那些彈斷的琴弦。盼了多少年了呀，老瞎子想，盼了五十年了！五十年中翻了多少架山，走了多少里路哇。挨了多少回曬，挨了多少回凍，心裡受了多少委屈呀。一晚上一晚上地彈，心裡總記著，得真正是一根一根盡心盡力地彈斷的才成。現在快盼到了，絕出不了這個夏天了。老瞎子知道自己又沒什麼能要命的病，活過這個夏天一點不成問題。「我比我師父可運氣多了，」他說，「我師父到了沒能睜開眼睛看一回。」

「咳！我知道這地方是哪兒了！」小瞎子忽然喊起來。

老瞎子這才動了動，抓起自己的琴來搖了搖，疊好的紙片碰在蛇皮上發出細微的響聲，那張藥方就在琴槽裡。

「師父，這兒不是野羊岭嗎？」小瞎子問。

老瞎子沒搭理他，聽出這小子又不安穩了。

「前頭就是野羊坳，是不是，師父？」

「小子，過來給我擦擦背，」老瞎子說，把弓一樣的脊背彎給他。

「是不是野羊坳，師父？」

「是！幹什麼？你別又鬧貓似的。」

小瞎子的心撲通撲通跳，老老實實地給師父擦背。老瞎子覺出他擦得很有勁。

「野羊坳怎麼了？你別又叫驢似的會聞味兒。」

小瞎子心虛，不吭聲，不讓自己顯出興奮。

「又想什麼呢？別當我不知道你那點心思。」

「又怎麼了，我？」

「怎麼了你？上回你在這兒瘋得不夠？那妮子是什麼好貨！」老瞎子心想，也許不該再帶他到野羊坳來。可是野羊坳是個大村子，年年在這兒生意都好，能說上半個多月。老瞎子恨不能立刻彈斷最後幾根琴弦。

小瞎子嘴上嘟嘟囔囔的，心卻飄飄的，想著野羊坳裡那個尖聲細氣的小妮子。

「聽我一句話，不害你，」老瞎子說，「那號事靠不住。」

「什麼事？」

「少跟我貧嘴。你明白我說的什麼事。」

「我就沒聽您說過，什麼事靠得住。」小瞎子又偷偷地笑。

老瞎子沒理他，骨頭一樣的眼珠又對著蒼天。那兒，太陽正變成一汪血。

兩面脊背和山是一樣的黃褐色。一座已經老了，嶙峋瘦骨像是山根下裸露的基石。另一座正年輕。老瞎子七十歲，小瞎子才十七。

小瞎子十四歲上父親把他送到老瞎子這兒來，為的是讓他學說書，這輩子好有個本事，將來可以獨自在世上活下去。

老瞎子說書已經說了五十多年。這一片偏僻荒涼的大山裡的人們都知道他：頭髮一天天變白，背一天天變駝，年年月月背一把三弦琴滿世界走，逢上有願意出錢的地方就撥動琴弦唱一晚上，給寂寞的山村帶來歡樂。開頭常是這麼幾句：「自從盤古分天地，三皇五帝到如今，有道君王安天下，無道君王害黎民。輕輕彈響三弦琴，慢慢稍停把歌論，歌有三千七百本，不知哪本動人心。」於是聽書的眾人喊起來，老的要聽董永賣身葬父，小的要聽武二郎夜走蜈蚣嶺，女人們想聽秦香蓮。這是老瞎子最知足的一刻，身上的疲勞和心裡的孤寂全忘卻，不慌不忙地喝幾口水，待眾人的吵嚷聲鼎沸，便把琴弦一陣緊撥，唱道：「今日不把別人唱，單表公子小羅成。」或者：「茶也喝來煙也吸，唱一回哭倒長城的孟姜女。」滿場立刻鴉雀無聲，老瞎子也全心沈到自己所說的書中去。

他會的老書數不盡。他還有一個電匣子，據說是花了大價錢從一個山外人手裡買

來，為的是學些新詞兒，編些新曲兒。其實山裡人倒不太在乎他說什麼唱什麼。人人都稱讚他那三弦子彈得講究，輕輕漫漫的，飄飄灑灑的，瘋顛狂放的，那裡頭有天上的日月，有地上的生靈。老瞎子的嗓子能學出世上所有的聲音，男人、女人、刮風下雨、獸啼禽鳴。不知道他腦子裡能呈現出什麼景象，他一落生就瞎了眼睛，從沒見過這個世界。

小瞎子可以算見過世界，但只有三年，那時還不懂事。他對說書和彈琴並無多少興趣，父親把他送來的時候費盡了唇舌，好說歹說連哄帶騙，最後不如說是那個電匣子把他留住。他抱著電匣子聽得入神，甚至沒發覺父親什麼時候離去。

這只神奇的匣子永遠令他著迷，遙遠的地方和稀奇古怪的事物使他幻想不絕，憑著三年朦朧的記憶，補充著萬物的色彩和形象。譬如海，匣子裡說藍天就像大海，他記得藍天，於是想像出海；匣子裡說海是無邊無際的水，他記得鍋裡的水，於是想像出滿天排開的水鍋。再譬如漂亮的姑娘，匣子裡說就像盛開的花朵，他實在不相信會是那樣，母親的靈柩被抬到遠山上去的時候，路上正開遍著野花，他永遠記得卻永遠不願意去想。但他願意想姑娘，越來越願意想；尤其是野羊坳的那個尖聲細氣的小妮子，總讓他心裡蕩起波瀾。直到有一回匣子裡唱道「姑娘的眼睛就像太陽」，這下他才找到了一個

貼切的形象，想起母親在紅透的夕陽中向他走來的樣子。其實人人都是根據自己的所知猜測著無窮的未知，以自己的感情勾畫出世界。每個人的世界就都不同。

也總有一些東西小瞎子無從想像，譬如「曲折的油狼」。

這天晚上，小瞎子跟著師父在野羊坳說書，又聽見那小妮子站在離他不遠處尖聲細氣地說笑。書正說到緊要處——「羅成回馬再交戰，大膽蘇烈又興兵。蘇烈大刀如流水，羅成長槍似騰雲，好似海中龍吊寶，猶如深山虎爭林。又戰七日並七夜，羅成清茶無點唇……」老瞎子把琴彈得如雨驟風疾，字字句句唱得鏗鏘。小瞎子卻心猿意馬，手底下早亂了套數……

野羊岭上有一座小廟，離野羊坳村二里地，師徒二人就在這裡住下。石頭砌的院牆已經殘斷不全，幾間小殿堂也歪斜欲傾百孔千瘡，惟正中一間尚可遮蔽風雨，大約是因為這一間中畢竟還供奉著神靈。三尊泥像早脫盡了塵世的彩飾，還一身黃土本色返樸歸真了，認不出是佛是道。院裡院外、房頂牆頭都長滿荒藤野草，蓊蓊郁郁倒有生氣。老瞎子每回到野羊坳說書都住這兒，不出房錢又不惹是非。小瞎子是第二次住在這兒。

散了書已經不早，老瞎子在正殿裡安頓行李，小瞎子在側殿的檐下生火燒水。去年

砌下的灶稍加修整就可以用。小瞎子蹶著屁股吹火，柴草不乾，嗆得他滿院裡轉著圈咳嗽。

老瞎子在正殿裡數叨他：「我看你能幹好什麼。」

「柴濕嘛。」

「我沒說這事。我說的是你的琴，今兒晚上的琴你彈成了什麼。」

小瞎子不敢接這話茬，吸足了幾口氣又跪到灶火前去，鼓著腮幫子一通猛吹。「你要是不想幹這行，就趁早給你爹捎信把你領回去。老這麼鬧貓鬧狗的可不行，要鬧回家鬧去。」

小瞎子咳嗽著從灶火邊跳開，幾步躥到院子另一頭，呼哧呼哧大喘氣，嘴裡一邊罵。

「說什麼呢？」

「我罵這火。」

「有你那麼吹火的？」

「那怎麼吹？」

「怎麼吹？哼，」老瞎子頓了頓，又說，「你就當這灶火是那妮子的臉！」

小瞎子又不敢搭腔了，跪到灶火前去再吹，心想：真的，不知道蘭秀兒的臉什麼樣。那個尖聲細氣的小妮子叫蘭秀兒。

「那要是妮子的臉，我看你不用教也會吹，」老瞎子說。

小瞎子笑起來，越笑越咳嗽。

「笑什麼笑！」

「您吹過妮子臉？」

老瞎子一時語塞。小瞎子笑得坐在地上。「日他媽，」老瞎子罵道，笑笑，然後變了臉色，再不言語。

灶膛裡騰的一聲，火旺起來。小瞎子再去添柴，一心想著蘭秀兒。才散了書的那會兒，蘭秀兒擠到他跟前來小聲說：「哎，上回你答應我什麼來？」師父就在旁邊，他沒敢吭聲。人群擠來擠去，一會兒又把蘭秀兒擠到他身邊。「噫，上回吃了人家的煮雞蛋倒白吃了？」蘭秀兒說，聲音比上回大。這時候師父正忙著跟幾個老漢拉話，他趕緊說：「噓——，我記著呢。」蘭秀兒又把聲音壓低：「你答應給我聽電匣子你還沒給我聽。」「噓——，我記著呢。」幸虧那會兒人聲嘈雜。

正殿裡好半天沒有動靜。之後，琴聲響了，老瞎子又上好了一根新弦。他本來應該

高興的，來野羊坳頭一晚上就又彈斷了一根琴弦。可是那琴聲卻低沉、零亂。

小瞎子漸漸聽出琴聲不對，在院裡喊：「水開了，師父。」

沒有回答。琴聲一陣緊似一陣了。

小瞎子端了一盆熱水進來，放在師父跟前，故意嘻嘻笑著說：「您今兒晚還想彈斷一根是怎麼著？」

老瞎子沒聽見，這會兒他自己的往事都在心中。琴聲煩躁不安，像是年年曠野裡的風雨，像是日夜山谷中的流溪，像是奔奔忙忙不知所歸的腳步聲。小瞎子有點害怕了：師父很久不這樣了，師父一這樣就要犯病，頭疼、心口疼、渾身疼，會幾個月爬不起炕來。

「師父，您先洗腳吧。」

琴聲不停。

「師父，您該洗腳了。」小瞎子的聲音發抖。

琴聲不停。

「師父！」

琴聲嘎然而止，老瞎子嘆了口氣，小瞎子鬆了口氣。

老瞎子洗腳，小瞎子乖乖地坐在他身邊。

「睡去吧，」老瞎子說，「今兒個夠累的了。」

「您呢？」

「你先睡，我得好好泡泡腳。人上了歲數毛病多。」老瞎子故意說得輕鬆。

「我等您一塊兒睡。」

山深夜靜。有了一點風，牆頭的草葉子響。夜貓子在遠處哀哀地叫。聽得見野羊坳裡偶爾有幾聲狗吠，又引得孩子哭。月亮升起來，白光透過殘損的窗欞進了殿堂，照見兩個瞎子和三尊神像。

「等我幹嘛，時候不早了。」

「你甭擔心我，我怎麼也不怎麼，」老瞎子又說。

「聽見沒有，小子？」

小瞎子到底年輕，已經睡著。老瞎子推推他讓他躺好，他嘴裡咕噥了幾句倒頭睡去。老瞎子給他蓋被時，從那身日漸發育的筋肉上覺出，這孩子到了要想那些事的年齡，非得有一段苦日子過不可了。唉，這事誰也替不了誰。

老瞎子再把琴抱在懷裡，摩挲著根根繃緊的琴弦，心裡使勁唸叨：又斷了一根了，

又斷了一根了。再搖搖琴槽，有輕微的紙和蛇皮的摩擦聲。惟獨這事能為他排憂解煩。一輩子的願望。

小瞎子作了一個好夢，醒來嚇了一跳。雞已經叫了。他一骨碌爬起來聽聽，師父正睡得香，心想還好。他摸到那個大挎包，悄悄地掏出電匣子，躡手躡腳出了門。

往野羊坳方向走了一會兒，他才覺出不對頭，雞叫聲漸漸停歇，野羊坳裡還是靜靜的沒有人聲。他愣了一會兒，雞才叫頭遍嗎？靈機一動扭開電匣子。電匣子裡也是靜悄悄。現在是半夜。他半夜裡聽過匣子，什麼都沒有。這匣子對他來說還是個錶，只要扭開一聽，便知道是幾點鐘，什麼時候有什麼節目都是一定的。

小瞎子回到廟裡，老瞎子正翻身。

「幹嘛哪？」

「撒尿去了，」小瞎子說。

一上午，師父逼著他練琴。直到晌午飯後，小瞎子才瞅機會溜出廟來，溜進野羊坳。雞也在樹蔭下打盹，豬也在牆根下說著夢話，太陽又熱得兇，村子裡很安靜。

小瞎子踩著磨盤，扒著蘭秀兒家的牆頭輕聲喊：「蘭秀兒——蘭秀兒——」

屋裡傳出雷似的鼾聲。

他猶豫了片刻，把聲音稍稍抬高：「蘭秀兒——！蘭秀兒——！」

狗叫起來。屋裡的鼾聲停了，一個悶聲悶氣的聲音問：「誰呀？」

小瞎子不敢回答，把腦袋從牆頭上縮下來。

屋裡吧唧了一陣嘴，又響起鼾聲。

他嘆口氣，從磨盤上下來，快快地往回走。忽聽見身後嘎吱一聲院門響，隨即一陣細碎的腳步聲向他跑來。

「猜是誰？」尖聲細氣。小瞎子的眼睛被一雙柔軟的小手捂上了。——這才多餘呢。蘭秀兒不到十五歲，認真說還是個孩子。

「蘭秀兒！」

「電匣子拿來沒？」

小瞎子掀開衣襟，匣子掛在腰上。「噓——，別在這兒，找個沒人的地方聽去。」

「咋啦？」

「回頭招好些人。」

「咋啦？」

「那麼多人聽，費電。」

兩個人東拐西彎，來到山背後那眼小泉邊。小瞎子忽然想起件事，問蘭秀兒：「你見過曲折的油狼嗎？」

「啥？」

「曲折的油狼。」

「曲折的油狼？」

「知道嗎？」

「你知道？」

「當然。還有綠色的長椅。就是一把椅子。」「椅子誰不知道。」

「那曲折的油狼呢？」

蘭秀兒搖搖頭，有點崇拜小瞎子了。小瞎子這才鄭重其事地扭開電匣子，一支歡快的樂曲在山溝裡飄蕩。

這地方又涼快又沒有人來打擾。

「這是『步步高』，」小瞎子說，跟著哼。

一會兒又換了支曲子，叫「旱天雷」，小瞎子還能跟著哼。蘭秀兒覺得很慚愧。

「這曲子也叫『和尚思妻』。」

蘭秀兒笑起來：「瞎騙人！」

「你不信？」

「不信。」

「愛信不信。這匣子裡說的古怪事多啦。」小瞎子玩著涼涼的泉水，想了一會兒。

「你知道什麼叫接吻嗎？」

「你說什麼叫？」

這回輪到小瞎子笑，光笑不答。蘭秀兒明白準不是好話，紅著臉不再問。

音樂播完了，一個女人說，「現在是講衛生節目。」

「啥？」蘭秀兒沒聽清。

「講衛生。」

「是什麼？」

「嗯——，你頭髮上有虱子嗎？」

「去——，別動！」

小瞎子趕忙縮回手來，趕忙解釋：「要有就是不講衛生。」

「我才沒有。」蘭秀兒抓抓頭，覺得有些刺癢。「噫——，瞧你自個兒吧！」蘭秀兒一把搬過小瞎子的頭。「看我捉幾個大的。」

這時候聽見老瞎子在半山上喊：「小子，還不給我回來！該做飯了，吃罷飯還得去說書！」他已經站在那兒聽了好一會兒了。

野羊坳裡已經昏暗，羊叫、驢叫、狗叫、孩子們叫，處處起了炊煙。野羊岭上還有一線殘陽，小廟正在那淡薄的光中，沒有聲響。

小瞎子又蹶著屁股燒火。老瞎子坐在一旁淘米，憑著聽覺他能把米中的砂子撿出來。

「今天的柴挺乾，」小瞎子說。

「嗯。」

「還是焖飯？」

「嗯。」

小瞎子這會兒精神百倍，很想找些話說，但是知道師父的氣還沒消，心想還是少找罵。

兩個人默默地幹著自己的事，又默默地一塊兒把飯做熟。岭上也沒了陽光。
小瞎子盛了一碗小米飯，先給師父：「您吃吧。」聲音怯怯的，無比馴順。
老瞎子終於開了腔：「小子，你聽我一句行不？」
「嗯。」小瞎子往嘴裡扒拉飯，回答得含糊。
「你要是不願意聽，我就不說。」
「誰說不願意聽了？我說『嗯』！」
「我是過來人，總比你知道的多。」
小瞎子悶頭扒拉飯。
「我經過那號事。」
「什麼事？」
「又跟我貧嘴！」老瞎子把筷子往灶台上一摔。
「蘭秀兒光是想聽聽電匣子。我們光是一塊兒聽電匣子來。」
「還有呢？」
「沒有了。」
「沒有了？」

「我還問她見沒見過曲折的油狼。」

「我沒問你這個！」

「後來，後來，」小瞎子不那麼氣壯了。「不知怎麼一下就說起了虱子……」

「還有呢？」

「沒了。真沒了！」

兩個人又默默地吃飯。老瞎子帶了這徒弟好幾年，知道這孩子不會撒謊，這孩子最讓人放心的地方就是誠實，厚道。

「聽我一句話，保準對你沒壞處。以後離那妮子遠點兒。」

「蘭秀兒人不壞。」

「我知道她不壞，可你離她遠點兒好。早年你師爺這麼跟我說，我也不信……」

「師爺？說蘭秀兒？」

「什麼蘭秀兒，那會兒還沒她呢。那會兒還沒有你們呢……」老瞎子陰鬱的臉又轉向暮色濃重的天際，骨頭一樣白色的眼珠不住地轉動，不知道在那兒他能「看」見什麼。

許久，小瞎子說：「今兒晚上您多半又能彈斷一根琴弦。」想讓師父高興些。

這天晚上師徒倆又在野羊坳說書。「上回唱到羅成死，三魂七魄赴幽冥，聽歌君子莫嘈嚷，列位聽我道下文。羅成陰魂出地府，一陣旋風就起身，旋風一陣來得快，長安不遠面前存……」老瞎子的琴聲也亂，小瞎子的琴聲也亂。小瞎子回憶著那雙柔軟的小手捂在自己臉上的感覺，還有自己的頭被蘭秀兒搬過去時的滋味。老瞎子想起的事情更多……

夜裡老瞎子翻來覆去睡不安穩，多少往事在他耳邊喧囂，在他心頭動蕩，身體裡彷彿有什麼東西要爆炸。壞了，要犯病，他想。頭昏，胸口憋悶，渾身緊巴巴的難受。他坐起來，對自己叨咕：「可別犯病，一犯病今年就甭想彈夠那些琴弦了。」他又摸到琴。要能叮叮噹噹隨心所欲地瘋彈一陣，心頭的憂傷或許就能平息，耳邊的往事或許就會消散。可是小瞎子正睡得香甜。

他只好再全力去想那張藥方和琴弦：還剩下幾根，還只剩最後幾根了。那時就可以去抓藥了，然後就能看見這個世界——他無數次爬過的山，無數次走過的路，無數次感到過她的溫暖和熾熱的太陽，無數次夢想著的藍天、月亮和星星……。還有呢？突然間心裡一陣空，空得深重。就只為了這些？還有什麼？他朦朧中所盼望的東西似乎比這要多得多……

夜風在山裡遊蕩。

貓頭鷹又在淒哀地叫。

不過現在他老了，無論如何沒幾年活頭了，失去的已經永遠失去了，他像是剛剛意識到這一點。七十年中所受的全部辛苦就為了最後能看一眼世界，這值得嗎？他問自己。

小瞎子在夢裡笑，在夢裡說：「那是一把椅子，蘭秀兒……」

老瞎子靜靜地坐著。靜靜地坐著的還有那三尊分不清是佛是道的泥像。

雞叫頭遍的時候老瞎子決定，天一亮就帶這孩子離開野羊坳。否則這孩子受不了，他自己也受不了。蘭秀兒人不壞，可這事會怎麼結局，老瞎子比誰都「看」得清楚。雞叫二遍，老瞎子開始收拾行李。

可是一早起來小瞎子病了，肚子疼，隨即又發燒。老瞎子只好把行期推遲。

一連好幾天，老瞎子無論是燒火、淘米、撿柴，還是給小瞎子挖藥、煎藥，心裡總在說：「值得，當然值得。」要是不這麼反反覆覆對自己說，身上的力氣似乎就全要垮掉。「我非要最後看一眼不可。」「要不怎麼著？就這麼死了去？」「再說就只剩下最後幾根了。」後面三句都是理由。老瞎子又冷靜下來，天天晚上還到野羊坳去說書。

這一下小瞎子倒來了福氣。每天晚上師父到岭下去了，蘭秀兒就貓似的輕輕跳進廟裡來聽匣子。蘭秀兒還帶來熟的雞蛋，條件是得讓她親手去扭那匣子的開關。「往哪邊扭？」「往右。」「扭不動。」「往右，笨貨，不知道哪邊是右哇？」「咔噠」一下，無論是什麼便響起來，無論是什麼倆人都愛聽。

又過了幾天，老瞎子又彈斷了三根琴弦。

這一晚，老瞎子在野羊坳裡自彈自唱：「不表羅成投胎事，又唱秦王李世民。秦王一聽雙淚流，可憐愛卿喪殘身，你死一身不打緊，缺少扶朝上將軍……」

野羊岭上的小廟裡這時更熱鬧。電匣子的音量開得挺大，又是孩子哭，又是大人喊，轟隆隆地又響炮，滴滴答答地又吹號。月光照進正殿，小瞎子躺著啃雞蛋，蘭秀兒坐在他旁邊。兩個人都聽得興奮，時而大笑，時而稀里糊塗莫名其妙。

「這匣子你師父哪買來？」

「從一個山外頭的人手裡。」

「你們到山外頭去過？」蘭秀兒問。

「沒。我早晚要去一回就是，坐坐火車。」

「火車？」

「火車你也不知道？笨貨。」

「噢，知道知道，冒煙哩是不是？」

過了一會兒蘭秀兒又說：「保不準我就得到山外頭去。」語調有些恓惶。

「是嗎？」小瞎子一挺坐起來：「那你到底瞧瞧曲折的油狼是什麼。」

「你說是不是山外頭的人都有電匣子？」

「誰知道。我說你聽清楚沒有？曲、折、的、油、狼，這東西就在山外頭。」

「那我得跟他們要一個電匣子。」蘭秀兒自言自語地想心事。

「要一個？」小瞎子笑了兩聲，然後屏住氣，然後大笑：「你幹嘛不要倆？你可真本事大。你知道這匣子幾千塊錢一個？把你賣了吧，怕也換不來。」

蘭秀兒心裡正委屈，一把揪住小瞎子的耳朵使勁擰，罵道：「好你個死瞎子。」兩個人在殿堂裡扭打起來。三尊泥像袖手旁觀幫不上忙。兩個年輕的正在發育的身體碰撞在一起，糾纏在一起，一個把一個壓在身下，一會兒又顛倒過來，罵聲變成笑聲。匣子在一邊唱。

打了好一陣子，兩個人都累得住了手，心怦怦跳，面對面躺著喘氣，不言聲兒，誰卻也不願意再拉開距離。

蘭秀兒呼出的氣吹在小瞎子臉上，小瞎子感到了誘惑，並且想起那天吹火時師父說的話，就往蘭秀兒臉上吹氣。蘭秀兒並不躲。

「嘿，」小瞎子小聲說，「你知道接吻是什麼了嗎？」

「是什麼？」蘭秀兒的聲音也小。

小瞎子對著蘭秀兒的耳朵告訴她。蘭秀兒不說話。老瞎子回來之前，他們試著親了嘴兒，滋味真不壞……

就是這天晚上，老瞎子彈斷了最後兩根琴弦。兩根弦一齊斷了。他沒料到。他幾乎是連跑帶爬地上了野羊嶺，回到小廟裡。

小瞎子嚇了一跳：「怎麼了，師父？」

老瞎子喘吁吁地坐在那兒，說不出話。

小瞎子有些犯嘀咕：莫非是他和蘭秀兒幹的事讓師父知道了？

老瞎子這才相信：一切都是值得的。一輩子的辛苦都是值得的。能看一回，好好看一回，怎麼都是值得的。

「小子，明天我就去抓藥。」

「明天？」

「明天。」

「又斷了一根了？」

「兩根。兩根都斷了。」

老瞎子把那兩根弦卸下來，放在手裡揉搓了一會兒，然後把它們並到另外的九百九十八根中去，綁成一捆。

「明天就走？」

「天一亮就動身。」

小瞎子心裡一陣發涼。老瞎子開始剝琴槽上的蛇皮。

「可我的病還沒好利索，」小瞎子小聲叨咕。

「噢，我想過了，你就先留在這兒，我用不了十天就回來。」

小瞎子喜出望外。

「你一個人行不？」

「行！」小瞎子緊忙說。

老瞎子早忘了蘭秀兒的事。「吃的、喝的、燒的全有。你要是病好利索了，也該學

著自個兒去說回書。行嗎？」

「行。」小瞎子覺得有點對不住師父。

蛇皮剝開了，老瞎子從琴槽中取出一張疊得方方正正的紙條。他想起這藥方放進琴槽時，自己才二十歲，便覺得渾身上下都好像冷。

小瞎子也把那藥方放在手裡摸了一會兒，也有了幾分肅穆。

「你師爺一輩子才寃呢。」

「他彈斷了多少根？」

「他本來能彈夠一千根，可他記成了八百。要不然他能彈斷一千根。」

天不亮老瞎子就上路了。他說最多十天就回來，誰也沒想到他竟去了那麼久。

老瞎子回到野羊坳時已經是冬天。

漫天大雪，灰暗的天空連接著白色的群山。沒有聲息，處處也沒有生氣，空曠而沉寂。所以老瞎子那頂發了黑的草帽就尤其躓動得顯著。他蹣蹣跚跚地爬上野羊嶺。廟院中衰草瑟瑟，躥出一隻狐狸，倉惶逃遠。

村裡人告訴他，小瞎子已經走了些日子。

「我告訴他我回來。」

「不知道他幹嘛就走了。」

「他沒說去哪兒？留下什麼話沒？」

「他說讓您甭找他。」

「什麼時候走的？」

人們想了好久，都說是在蘭秀兒嫁到山外去的那天。

老瞎子心裡便一切全都明白。

眾人勸老瞎子留下來，這麼冰天雪地的上哪去？不如在野羊坳說一冬書。老瞎子指指他的琴，人們見琴柄上空蕩蕩已經沒了琴弦。老瞎子面容也憔悴，呼吸也孱弱，嗓音也沙啞了，完全變了個人。他說得去找他的徒弟。

若不是還想著他的徒弟，老瞎子就回不到野羊坳。那張他保存了五十年的藥方原來是一張無字的白紙。他不信，請了多少個識字而又誠實的人幫他看，人人都說那果真就是一張無字的白紙。老瞎子在藥鋪前的台階上坐了一會兒，他以為是一會兒，其實已經幾天幾夜，骨頭一樣的眼珠在詢問蒼天，臉色也變成骨頭一樣的蒼白。有人以為他是瘋了，安慰他，勸他。老瞎子苦笑：七十歲了再瘋還有什麼意思？他只是再不想動彈，吸

引著他活下去、走下去、唱下去的東西驟然間消失乾淨。就像一根不能拉緊的琴弦，再難彈出賞心悅耳的曲子。老瞎子的心弦斷了。現在發現那目的原來是空的。老瞎子在一個小客店裡住了很久，覺得身體裡的一切都在熄滅。他整天躺在炕上，不彈也不唱，一天天迅速地衰老。直到花光了身上所有的錢，直到忽然想起了他的徒弟，他知道自己的死期將至，可那孩子在等他回去。

茫茫雪野，皚皚群山，天地之間蹟動著一個黑點。走近時，老瞎子的身影彎得如一座橋。他去找他的徒弟。他知道那孩子目前的心情、處境。

他想自己先得振作起來，但是不行，前面明明沒有了目標。

他一路走，便懷戀起過去的日子，才知道以往那些奔奔忙忙興致勃勃的翻山、趕路、彈琴，乃至心焦、憂慮都是多麼歡樂！那時有個東西把心弦扯緊，雖然那東西原是虛設。老瞎子想起他師父臨終時的情景。他師父把那張自己沒用上的藥方封進他的琴槽。「您別死，再活幾年，您就能睜眼看一回了。」說這話時他還是個孩子。他師父久久不言語，最後說：「記住，人的命就像這琴弦，拉緊了才能彈好，彈好了就夠了。」……不錯，那意思就是說：目的本來沒有。老瞎子知道怎麼對自己的徒弟說了。可是他又想：能把一切都告訴小瞎子嗎？老瞎子又試著振作起來，可還是不行，總擺脫不掉那

張無字的白紙……

在深山裡，老瞎子找到了小瞎子。

小瞎子正跌倒在雪地裡，一動不動，想那麼等死。老瞎子懂得那絕不是裝出來的悲哀。老瞎子把他拖進一個山洞，他已無力反抗。

老瞎子撿了些柴，打起一堆火。

小瞎子漸漸有了哭聲。老瞎子放了心，任他盡情盡意地哭。只要還能哭就還有救，只要還能哭就有哭夠的時候。

小瞎子哭了幾天幾夜，老瞎子就那麼一聲不吭地守候著。火光和哭聲驚動了野兔子、山雞、野羊、狐狸和鷂鷹……

終於小瞎子說話了：「幹嘛咱們是瞎子！」

「就因為咱們是瞎子，」老瞎子回答。

終於小瞎子又說：「我想睜開眼看看，師父，我想睜開眼看看！哪怕就看一回。」

「你真那麼想嗎？」

「真想，真想——」

老瞎子把篝火撥得更旺些。

雪停了。鉛灰色的天空中，太陽像一面閃光的小鏡子。鶴鷹在平穩地滑翔。

「那就彈你的琴弦，」老瞎子說，「一根一根盡力地彈吧。」

「師父，您的藥抓來了？」小瞎子如夢方醒。

「記住，得真正是彈斷的才成。」

「您已經看見了嗎？師父，您現在看得見了？」

小瞎子掙扎著起來，伸手去摸師父的眼窩。老瞎子把他的手抓住。

「記住，得彈斷一千二百根。」

「一千二？」

「把你的琴給我，我把這藥方給你封在琴槽裡。」老瞎子現在才弄懂了他師父當年對他說的話——咱的命就在這琴弦上。

目的雖是虛設的，可非得有不行，不然琴弦怎麼拉緊；拉不緊就彈不響。

「怎麼是一千二，師父？」

「是一千二。我沒彈夠，我記成了一千。」老瞎子想：這孩子再怎麼彈吧，還能彈斷一千二百根？永遠扯緊歡跳的琴弦，不必去看那張無字的白紙……

這地方偏僻荒涼，群山不斷。荒草叢中隨時會飛起一對山雞，跳出一只野兔、狐狸、或者其他小野獸。山谷中鷂鷹在盤旋。

現在讓我們回到開始：

莽莽蒼蒼的群山之中走著兩個瞎子，一老一少，一前一後，兩頂發了黑的草帽起伏躦動，匆匆忙忙，像是隨著一條不安靜的河水在漂流。無所謂從哪兒來、到哪兒去，也無所謂誰是誰……

我與地壇

一

我在好幾篇小說中都提到過一座廢棄的古園，實際就是地壇。許多年前旅遊業還沒有開展，園子荒蕪冷落得如同一片野地，很少被人記起。

地壇離我家很近。或者說我家離地壇很近。總之，只好認為這是緣分。地壇在我出生前四百多年就坐落在那兒了；而自從我的祖母年輕時帶著我父親來到北京，就一直住在離它不遠的地方——五十多年間搬過幾次家，可搬來搬去總是在它周圍，而且是越搬

離它越近了。我常覺得這中間有著宿命的味道：彷彿這古園就是為了等我，而歷盡滄桑在那兒等待了四百多年。

它等待我出生，然後又等待我活到最狂妄的年齡上忽地殘廢了雙腿。四百多年裡，它一面剝蝕了古殿檐頭浮誇的琉璃，淡褪了門壁上炫耀的朱紅，坍圮了一段段高牆又散落了玉砌雕欄，祭壇四周的老柏樹愈見蒼幽，到處的野草荒藤也都茂盛得自在坦蕩。這時候想必我是該來了。十五年前的一個下午，我搖著輪椅進入園中，它為一個失魂落魄的人把一切都準備好了。那時，太陽循著亙古不變的路途正越來越大，也越紅。在滿園彌漫的沉靜光芒中，一個人更容易看到時間，並看見自己的身影。

自從那個下午我無意中進了這園子，就再沒長久地離開過它。我一下子就理解了它的意圖，正如我在一篇小說中所說的：「在人口密聚的城市裡，有這樣一個寧靜的去處，像是上帝的苦心安排。」

兩條腿殘廢後的最初幾年，我找不到工作，找不到去路，忽然間幾乎什麼都找不到了，我就搖了輪椅總是到它那兒去，僅為著那兒是可以逃避一個世界的另一個世界。我在那篇小說中寫道：「沒處可去我便一天到晚耗在這園子裡。跟上班下班一樣，別人去上班我就搖了輪椅到這兒來，」「園子無人看管，上下班時間有些抄近路的人們從園中

穿過，園子裡活躍一陣，過後便沉寂下來。」「園牆在金晃晃的空氣中斜切下一溜蔭涼，我把輪椅開進去，把椅背放倒，坐著或是躺著，看書或者想事，撅一權樹枝左右拍打，驅趕那些和我一樣不明白為什麼要來這世上的小昆蟲。」「蜂兒如一朵小霧穩穩地停在半空；螞蟻搖頭晃腦捋著觸鬚，猛然間想透了什麼，轉身疾行而去；瓢蟲爬得不耐煩了，累了，祈禱一回便支開翅膀，忽悠一下升空了；樹幹上留著一隻蟬蛻，寂寞如一間空屋，露水在草葉上滾動，聚集，壓彎了草葉轟然墜地摔開萬道金光。」「滿園子都是草木競相生長弄出的響動，片刻不息。」這都是真實的記錄，園子荒蕪但並不衰敗。

除去幾座殿堂我無法進去，除去那座祭壇我不能上去而只能從各個角度張望它，地壇的每一棵樹下我都去過，差不多它的每一米草地上都有過我的車輪印。無論是什麼季節，什麼天氣，什麼時間，我都在這園子裡呆過。有時候呆一會兒就回家，有時候就呆到滿地上都亮起月光。記不清都是在它的哪些角落裡了，我一連幾小時專心致志地想關於死的事，也以同樣的耐心和方式想過我為什麼要出生。這樣想了好幾年，最後事情終於弄明白了：一個人，出生了，這就不再是一個可以辯論的問題，而只是上帝交給他的一個事實；上帝在交給我們這件事實的時候，已經順便保證了它的結果，所以死是一件不必急於求成的事，死是一個必然會降臨的節日。這樣想過之後我安心多了，眼前的一

切不再那麼可怕。比如你起早熬夜準備考試的時候，忽然想起有一個長長的假期在前面等待你，你會不會覺得輕鬆一點？並且慶幸並且感激這樣的安排？

剩下的就是怎樣活的問題了。這卻不是在某一個瞬間就能完全想透的，不是能夠一次性解決的事，怕是活多久就要想它多久了，就像是伴你終生的魔鬼或戀人。所以，十五年了，我還是總得到那古園裡去，去它的老樹下或荒草邊或頹牆旁，去默坐，去呆想，去推開耳邊的嘈雜理一理紛亂的思緒，去窺看自己的心魂。十五年中，這古園的形體被不能理解它的人肆意雕琢，幸好有些東西是任誰也不能改變它的。譬如祭壇石門中的落日，寂靜的光輝平鋪的一刻，地上的每一個坎坷都被映照得燦爛；譬如在園中最為落寞的時間，一群雨燕便出來高歌，把天地都叫喊得蒼涼；譬如冬天雪地上孩子的腳印，總讓人猜想他們是誰，曾在那兒做過些什麼，然後又都到哪兒去了；譬如那些蒼黑的古柏，你憂鬱的時候它們鎮靜地站在那兒，你欣喜的時候它們依然鎮靜地站在那兒，它們沒日沒夜地站在那兒從你沒有出生一直站到這個世界上又沒了你的時候；譬如暴雨驟臨園中，激起一陣陣灼烈而清純的草木和泥土的氣味，讓人想起無數個夏天的事件；譬如秋風忽至，再有一場早霜，落葉或飄搖歌舞或坦然安臥，滿園中播散著熨帖而微苦的味道。味道是最說不清楚的，味道不能寫只能聞，要你身臨其境去聞才能明瞭。味道

甚至是難於記憶的，只有你又聞到它你才能記起它的全部情感和意蘊。所以我常常要到那園子裡去。

二

現在我才想到，當年我總是獨自跑到地壇去，曾經給母親出了一個怎樣的難題。

她不是那種光會疼愛兒子而不懂得理解兒子的母親。她知道我心裡的苦悶，知道不該阻止我出去走走，知道我要是老呆在家裡結果會更糟，但她又擔心我一個人在那荒僻的園子裡整天都想些什麼。我那時脾氣壞到極點，經常是發了瘋一樣地離開家，從那園子裡回來又中了魔似的什麼話都不說。母親知道有些事不宜問，便猶猶豫豫地想問而終於不敢問，因為她自己心裡也沒有答案。她料想我不會願意她跟我一同去，所以她從未這樣要求過，她知道得給我一點獨處的時間，得有這樣一段過程。她只是不知道這過程得要多久，和這過程的盡頭究竟是什麼。每次我要動身時，她便無言地幫我準備，幫助我上了輪椅車，看著我搖車拐出小院，這以後她會怎樣，當年我不曾想過。

有一回我搖車出了小院，想起一件什麼事又返身回來，看見母親仍站在原地，還是送我定時的姿勢，望著我拐出小院去的那處牆角，對我的回來竟一時沒有反應、待她再

次送我出門的時候，她說：「出去活動活動，去地壇看看書，我說這挺好。」許多年以後我才漸漸聽出，母親這話實際是自我安慰，是暗自的禱告，是給我的提示，是懇求與囑咐。只是在她猝然去世之後，我才有餘暇設想，當我不在家裡的那些漫長的時間，她是怎樣心神不定坐臥難寧，兼著痛苦與驚恐與一個母親最低限度的祈求。現在我可以斷定，以她的聰慧和堅忍，在那些空落的白天後的黑夜，在那不眠的黑夜後的白天，她思來想去最後準是對自己說：「反正我不能不讓他出去，未來的日子是他自己的，如果他真的要在那園子裡出什麼事，這苦難也只好我來承擔。」在那段日子裡——那是好幾年長的一段日子呵，我想我一定使母親作過了最壞的準備了，但她從來沒有對我說過「你為我想想」。事實上我也真的沒為她想過。那時她的兒子還太年輕，還來不及為母親想，他被命運擊昏了頭，一心以為自己是世上最不幸的一個，不知道兒子的不幸在母親那兒總是要加倍的。她有一個長到二十歲上忽然截癱了的兒子，這是她惟一的兒子；她情願截癱的是自己而不是兒子，可這事無法代替。她想，只要兒子能活下去哪怕自己去死呢也行，可她又確信一個人不能僅僅是活著，兒子得有一條路走向自己的幸福，而這條路呢，沒有誰能保證她的兒子終於能找到。——這樣一個母親，注定是活得最苦的母親。

有一次與一個作家朋友聊天，我問他學寫作的最初動機是什麼？他想了一會說：「為我母親。為了讓她驕傲。」我心裡一驚，良久無言。回想自己最初寫小說的動機，雖不似這位朋友的那般單純，但如他一樣的願望我也有，且一經細想，發現這願望也在全部動機中佔了很大比重。這位朋友說：「我的動機太低俗了吧？」我光是搖頭，心想低俗並不見得低俗，只怕是這願望過於天真了。他又說：「我那時真就是想出名，出了名讓別人羨慕我母親。」我想，他比我坦率。我想，他又比我幸福，因為他的母親還活著。而且我想，他的母親也比我的母親運氣好，他的母親沒有一個雙腿殘廢的兒子，否則事情就不這麼簡單。

在我的頭一篇小說發表的時候，在我的小說第一次獲獎的那些日子裡，我真是多麼希望我的母親還活著。我便又不能在家裡呆了，又整天整天獨自跑到地壇去，心裡是沒頭沒尾的沉鬱和哀怨，走遍整個園子卻怎麼也想不通：母親為什麼就不能再多活兩年？為什麼在她的兒子就快要碰撞開一條路的時候，她卻忽然熬不住了？莫非她來此世上只是為了替兒子擔憂，卻不該分享我的一點點快樂？她匆匆離我去時才只有四十九歲呀！有那麼一會，我甚至對世界對上帝充滿了仇恨和厭惡。後來我在一篇題為〈合歡樹〉的文章中寫道：「我坐在小公園安靜的樹林裡，閉上眼睛，想，上帝為什麼早早地召母親

回去呢？很久很久，迷迷糊糊的我聽見了回答：『她心裡太苦了，上帝看她受不住了，就召她回去。』我似乎得了一點安慰，睜開眼睛，看見風正從樹林裡穿過。」小公園，指的也是地壇。

只是到了這時候，紛紜的往事才在我眼前幻現得清晰，母親的苦難與偉大才在我心中滲透得深徹。上帝的考慮，也許是對的。

搖著輪椅在園中慢慢走，又是霧罩的清晨，又是驕陽高懸的白晝，我只想著一件事：母親已經不在了。在老柏樹旁停下，在草地上在頹牆邊停下，又是處處蟲鳴的午後，又是鳥兒歸巢的傍晚，我心裡只默念著一句話：可是母親已經不在了。把椅背放倒，躺下，似睡非睡挨到日沒，坐起來，心神恍惚，呆呆地直坐到古祭壇上落滿黑暗然後再漸漸浮起月光，心裡才有點明白：母親不能再來這園中找我了。

曾有過好多回，我在這園子裡呆得太久了，母親就來找我。她來找我又不想讓我發覺，只要見我還好好地在這園子裡，她就悄悄轉身回去；我看見過幾次她的背影。我也看過見兒回她四處張望的情景，她視力不好，端著眼鏡像在尋找海上的一條船；她沒看見我時我已經看見她了，待我看見她也看見我了我就不去看她，過一會我再抬頭看她就又看見她緩緩離去的背影。我單是無法知道有多少回她沒有找到我。有一回我坐在矮樹

叢中，樹叢很密，我看見她沒有找到我，她一個人在園子裡走，走過我的身旁，走過我經常呆的一些地方，步履茫然又急迫。我不知道她已經找了多久還要找多久，我不知道為什麼我絕意不喊她——但這絕不是小時候的捉迷藏，這也許是出於長大了的男孩子的倔強或羞澀？但這倔強只留給我痛悔，絲毫也沒有驕傲。我真想告誡所有長大了的男孩子，千萬不要跟母親來這套倔強，羞澀就更不必，我已經懂了可我已經來不及了。

兒子想使母親驕傲，這，心情畢竟是太真實了，以致使「想出名」這一聲名狼藉的念頭也多少改變了一點形象。這是個複雜的問題，且不去管它了罷。隨著小說獲獎的激動逐日暗淡，我開始相信，至少有一點我是想錯了：我用紙筆在報刊上碰撞開的一條路，並不就是母親盼望我找到的那條路。年年月月我都到這園子裡來，年年月月我都要想，母親盼望我找到的那條路到底是什麼。母親生前沒給我留下過什麼雋永的哲言，或要我恪守的教誨，只是在她去世之後，她艱難的命運，堅忍的意志和毫不張揚的愛，隨光陰流轉，在我的印象中愈加鮮明深刻。

有一年，十月的風又翻動起安詳的落葉，我在園中讀書，聽見兩個散步的老人說：「沒想到這園子有這麼大。」我放下書，想，這麼大一座園子，要在其中找到她的兒子，母親走過了多少焦灼的路。多年來我頭一次意識到，這園中不單是處處都有過我的

車轍，有過我的車轍的地方也都有過母親的腳印。

三

如果以一天中的時間來對應四季，當然春天是早晨，夏天是中午，秋天是黃昏，冬天是夜晚。如果以樂器來對應四季，我想春天應該是小號，夏天是定音鼓，秋天是大提琴，冬天是圓號和長笛。要是以這園子裡的聲響來對應四季呢？那麼，春天是祭壇上空漂浮著的鴿子的哨音，夏天是冗長的蟬歌和楊樹葉子嘩啦啦地對蟬歌的取笑，秋天是古殿檐頭的風鈴響，冬天是啄木鳥隨意而空曠的啄木聲。以園中的景物對應四季，春天是一徑時而蒼白時而黑潤的小路，時而明朗時而陰晦的天上搖蕩著串串楊花；夏天是一條條耀眼而灼人的石凳，或陰涼而爬滿了青苔的石階，階下有果皮，階上有半張被坐皺的報紙；秋天是一座青銅的大鐘，在園子的西北角上曾丟棄著一座很大的銅鐘，銅鐘與這園子一般年紀，渾身掛滿綠繡，文字已不清晰；冬天，是林中空地上幾只羽毛蓬鬆的老麻雀。以心緒對應四季呢？春天是臥病的季節，否則人們不易發覺春天的殘忍與渴望；夏天，情人們應該在這個季節裡失戀，不然就似乎對不起愛情；秋天是從外面買一棵盆花回家的時候，把花擱在闊別了的家中，並且打開窗戶把陽光也放進屋裡，慢慢回憶慢

慢整理一些發過霉的東西；冬天伴著火爐和書，一遍遍堅定不死的決心，寫一些並不發出的信。還可以用藝術形式對應四季，這樣春天就是一幅畫，夏天是一部長篇小說，秋天是一首短歌或詩，冬天是一群雕塑。以夢呢？以夢對應四季呢？春天是樹尖上的呼喊，夏天是呼喊中的細雨，秋天是細雨中的土地，冬天是乾淨的土地上一只孤零的煙斗。

因為這園子，我常感恩於自己的命運。

我甚至現在就能清楚地看見，一旦有一天我不得不長久地離開它，我會怎樣想念它，我會怎樣想念它並且夢見它，我會怎樣因為不敢想念它而夢也夢不到它。

四

現在讓我想想，十五年中堅持到這園子來的人都有誰呢？好像只剩了我和一對老人。

十五年前，這對老人還只能算是中年夫婦，我則貨真價實還是個青年。他們總在薄幕時分來園中散步，我不大弄得清他們是從哪邊的園門進來，一般來說他們是逆時針繞這園子走。男人個子很高，肩寬腿長，走起路來目不斜視，胯以上直至脖頸挺直不動；

他的妻子攀了他一條胳膊走，也不能使他的上身稍有鬆懈。女人個子卻矮，也不算漂亮，我無端地相信她必出身於家道中衰的名門富族；她舉在丈夫胳膊上像個嬌弱的孩子，她向四周觀望似總合著恐懼，她輕聲與丈夫談話，見有人走近就立刻怯怯地收住話頭。我有時因為他們而想起冉阿讓與柯賽特，但這想法並不鞏固，他們一望即知是老夫老妻。兩個人的穿著都算得上考究，但由於時代的演進，他們的服飾又可以稱為古樸了。他們和我一樣，到這園子裡來幾乎是風雨無阻，不過他們比我守時。我什麼時間都可能來，他們則一定是在暮色初臨的時候。刮風時他們穿了米色風衣，下雨時他們打了黑色的雨傘，夏天他們的襯衫是白色的褲子是黑色的或米色的，冬天他們的呢於大衣又都是黑色的，想必他們只喜歡這三種顏色。他們逆時針繞這園子一周，然後離去。他們走過我身旁時只有男人的腳步響，女人像是貼在高大的丈夫身上跟著漂移。我相信他們一定對我有印象，但是我們沒有說過話，我們互相都沒有想要接近的表示。十五年中，他們或許注意到一個小伙子進入了中年，我則看著一對令人羨慕的中年情侶不覺中成了兩個老人。

曾有過一個熱愛唱歌的小伙子，他也是每天都到這園中來，來唱歌，唱了好多年，後來不見了。他的年紀與我相仿，他多半是早晨來，唱半小時或整整唱一個上午，估計

在另外的時間裡他還得上班。我們經常在祭壇東側的小路上相遇，我知道他是到東南角的高牆下去唱歌，他一定猜想我去東北角的樹林裡做什麼。我找到我的地方，抽幾口煙，便聽見他謹慎地整理歌喉了。他反反覆覆唱那麼幾首歌。「文化革命」沒過去的時候，他唱「藍藍的天上白雲飄，白雲下面馬兒，跑……」我老也記不住這歌的名字。「文革」後，他唱《貨郎與小姐》中那首最為流傳的詠嘆調。「賣布一賣布嘞，賣布一賣布嘞！」我記得這開頭的一句他唱得很有聲勢，在早晨清澈的空氣中，貨郎跑遍園中的每一個角落去恭維小姐，「我交了好運氣，我交了好運氣，我為幸福唱歌曲……」然後他就一遍一遍地唱，不讓貨郎的激情稍減。依我聽來，他的技術不算精到，在關鍵的地方常出差錯，但他的嗓子是相當不壞的，而且唱一個上午也聽不出一點疲憊。太陽也不疲憊，把大樹的影子縮小成一團，把疏忽大意的蚯蚓曬乾在小路上。將近中午，我們又在祭壇東側相遇，他看一看我，我看一看他，他往北去，我往南去。日子久了，我感到我們都有結識的願望，但似乎都不知如何開口，於是互相注視一下終又都移開目光擦身而過，這樣的次數一多，便更不知如何開口了。終於有一天──一個絲毫沒有特點的日子，我們互相點了一下頭。他說：「你好。」我說：「你好。」他說：「回去啦？」我說：「是，你呢？」他說：「我也該回去了。」我們都放慢腳步（其實我是放慢車

速），想再多說幾句，但仍然是不知從何說起，這樣我們就都走過了對方，又都扭轉身子面向對方。他說：「那就再見吧。」我說：「好，再見。」便互相笑笑各走各的路了。但是我們沒有再見，那以後，園中再沒了他的歌聲，我才想到，那天他或許是有意與我道別的，也許他考上哪家專業的文工團或歌舞團了吧？真希望他如他歌裡所唱的那樣，交了好運氣。

還有一些人，我還能想起一些常到這園子裡來的人。有一個老頭，算得一個真正的飲者；他在腰間掛一個扁瓷瓶，瓶裡當然裝滿了酒，常來這園中消磨午後的時光。他在園中四處遊逛，如果你不注意你會以為園中有好幾個這樣的老頭，等你看過了他卓爾不群的飲酒情狀，你就會相信這是個獨一無二的老頭。他的衣著過分隨便，走路的姿態也不慎重，走上五六千米路便選定一處地方，一只腳踏在石凳上或土埂上或樹墩上，解下腰間的酒瓶，解酒瓶的當兒瞇起眼睛把一百八十度視角內的景物細細看一遭，然後以迅雷不及掩耳之勢倒一大口酒入肚，把酒瓶搖一搖再掛向腰間，平心靜氣地想一會什麼，便走下一個五六十米去。還有一個捕鳥的漢子，那歲月園中人少，鳥卻多，他在西北角的樹叢中拉一張網，鳥撞在上面，羽毛戧在網眼裡便不能自拔。他單等一種過去很多而現在非常罕見的鳥，其他的鳥撞在網上他就把牠們摘下來放掉，他說已經有好多年沒等

到那種罕見的鳥了，他說他再等一年看看到底還有沒有那種鳥，結果他又等了好多年。早晨和傍晚，在這園子裡可以看見一個中年女工程師，早晨她從北向南穿過這園子去上班，傍晚她從南向北穿過這園子回家。事實上我並不了解她的職業或者學歷，但我以為她必是個學理工的知識分子，別樣的人很難有她那般的素樸並優雅。當她在園中穿行的時刻，四周的樹林也彷彿更加幽靜，清淡的日光中竟似有悠遠的琴聲，比如說是那曲《獻給艾麗絲》才好。我沒有見過她的丈夫，沒有見過那個幸運的男人是什麼樣子，我想像過卻想像不出，後來忽然懂了想像不出才好，那個男人最好不要出現。她走出北門回家去，我竟有點擔心，擔心她會落入廚房，不過，也許她在廚房裡勞作的情景更有另外的美吧，當然不能再是《獻給艾麗絲》，是個什麼曲子呢？還有一個人，是我的朋友，他是個最有天賦的長跑家，但他被埋沒了。他因為在「文革」中出言不慎而坐了幾年牢，出來後好不容易找了個拉板車的工作，樣樣待遇都不能與別人平等，苦悶極了便練習長跑。那時他總來這園子裡跑，我用手錶為他計時，他每跑一圈向我招一下手，我就記下一個時間。每次他要環繞這園子跑二十圈，大約兩萬米。他盼望以他的長跑成績來獲得政治上真正的解放，他以為記者的鏡頭和文字可以幫他做到這一點。第一年他在春節環城賽上跑了第十五名，他看見前十名的照片都掛在了長安街的新聞櫥窗裡，於是

有了信心。第二年他跑了第四名，可是新聞櫥窗裡只掛了前三名的照片，他沒灰心。第三年他跑了第七名，櫥窗裡掛前六名的照片，他有點怨自己。第四年他跑了第三名，櫥窗裡卻只掛了第一名的照片。第五年他跑了第一名——他幾乎絕望了，櫥窗裡只有一幅環城賽群眾場面的照片。那些年我們倆常一起在這園子裡呆到天黑，開懷痛罵，罵完沉默著回家，分手時再互相叮囑：先別去死，再試著活一活看。現在他已經不跑了，年歲太大了，跑不了那麼快了。最後一次參加環城賽，他以三十八歲之齡又得了第一名並且破了紀錄，有一位專業隊的教練對他說：「我要是十年前發現你就好了。」他苦笑一下什麼也沒說，只在傍晚又來這園中找到我，把這事平靜地向我敘說一遍。不見他已有好幾年了，現在他和妻子和兒子住在很遠的地方。

這些人現在都不到園子裡來了，園子裡差不多完全換了一批新人。十五年前的舊人，現在就剩我和那對老夫老妻了。有那麼一段時間，這老夫老妻中的一個也忽然不來，薄暮時分惟男人獨自來散步，步態也明顯遲緩了許多，我懸心了很久，怕是那女人出了什麼事。幸好過了一個冬天那女人又來了，兩個人仍是逆時針繞著園子走，一長一短兩個身影恰似鐘表的兩支指針；女人的頭髮白了很多，但依舊舉著丈夫的胳膊走得像個孩子。「舉」這個字用得不恰當了，或許可以用「攙」吧，不知有沒有兼具這兩個意

思的字。

五

我也沒有忘記一個孩子——一個漂亮而不幸的小姑娘。十五年前的那個下午，我第一次到這園子裡來就看見了她，那時她大約三歲，蹲在齋宮西邊的小路上撿樹上掉落的「小燈籠」。那兒有幾棵大欒樹，春天開一簇簇細小而稠密的黃花，花落了便結出無數如同三片葉子合抱的小燈籠，小燈籠先是綠色，繼而轉白，再變黃，成熟了掉落得滿地都是。小燈籠精巧得令人愛惜，成年人也不免撿了一個還要撿一個。小姑娘咿咿呀呀地跟自己說著話，一邊撿小燈籠。她的嗓音很好，不是她那個年齡所常有的那般尖細，而是很圓潤甚或是厚重，也許是因為那個下午園子裡太安靜了。我奇怪這麼小的孩子怎麼一個人跑來這園子裡？我問她住在哪兒？她隨手指一下，就喊她的哥哥，沿牆根一帶的茂草之中便站起一個七八歲的男孩，朝我望望，看我不像壞人便對他的妹妹說「我在這兒呢」，又伏下身去；他在捉什麼蟲子。他捉到螳螂、螞蚱、知了和蜻蜓，來取悅他的妹妹。有那麼兩三年，我。經常在那幾棵大欒樹下見到他們，兄妹倆總是在一起玩，玩得和睦融洽，都漸漸長大了些。之後有很多年沒見到他們。我想他們都在學校裡吧，小姑

娘也到了上學的年齡，必是告別了孩提時光，沒有很多機會來這兒玩了。這事很正常，沒理由太擱在心上，若不是有一年我又在園中見到他們，肯定就會慢慢把他們忘記。

那是個禮拜日的上午。那是個晴朗而令人心碎的上午，時隔多年，我竟發現那個漂亮的小姑娘原來是個弱智的孩子。我搖著車到那幾棵大欒樹下去，恰又是遍地落滿了小燈籠的季節。當時我正為一篇小說的結尾所苦，即不知為什麼要給它那樣一個結尾，又不知何以忽然不想讓它有那樣一個結尾，於是從家裡跑出來，想依靠著園中的鎮靜，看看是否應該把那篇小說放棄。我剛剛把車停下，就見前面不遠處有幾個人在戲耍一個少女，作出怪樣子來嚇她，又喊又笑地追逐她攔截她，少女在幾棵大樹間驚惶地東跑西躲，卻不鬆手揪捲在懷裡的裙裾，兩條腿袒露著也似毫無察覺。我看出少女的智力是有些缺陷，卻還沒看出她是誰。我正要驅車上前為少女解圍，就見遠處飛快地騎車來了個小伙子，於是那幾個戲耍少女的傢伙望風而逃。小伙子把自行車支在少女近旁，怒目望著那幾個四散逃竄的傢伙，一聲不吭喘著粗氣，臉色如暴雨前的天空一樣一會比一會蒼白。這時我認出了他們，小伙子和少女就是當年那對小兄妹。我幾乎是在心裡驚叫了一聲，或者是哀號。世上的事常常使上帝的居心變得可疑。小伙子向他的妹妹走去。少女鬆開了手，裙裾隨之垂落下來，很多很多她撿的小燈籠便灑落一地，鋪散在她腳下。她

仍然算得漂亮，但雙眸遲滯沒有光彩。她呆呆地望著那群跑散的傢伙，望著極目之處的空寂，憑她的智力絕不可能把這個世界想明白吧？大樹下，破碎的陽光星星點點，風把遍地的小燈籠吹得滾動，彷彿喑啞地響著的無數小鈴鐺。哥哥把妹妹扶上自行車後座，帶著她無言地回家去了。

無言是對的。要是上帝把漂亮和弱智這兩樣東西都給了這個小姑娘，就只有無言和回家去是對的。

誰又能把這世界想個明白呢？世上的很多事是不堪說的。你可以抱怨上帝何以要降諸多苦難給這人間，你也可以為消滅種種苦難而奮鬥，並為此享有崇高與驕傲，但只要你再多想一步你就會墜入深深的迷茫了：假如世界上沒有了苦難，世界還能夠存在麼？要是沒有愚鈍，機智還有什麼光榮呢？要是沒了醜陋，漂亮又怎麼維繫自己的幸運？要是沒有了惡劣和卑下，善良與高尚又將如何界定自己如何成為美德呢？要是沒有了殘疾，健全會否因其司空見慣而變得膩煩和乏味呢？我常夢想著在人間徹底消滅殘疾，但可以相信，那時將由患病者代替殘疾人去承擔同樣的苦難。如果能夠把疾病也全數消滅，那麼這份苦難又將由（比如說）相貌醜陋的人去承擔了。就算我們連醜陋，連愚昧和卑鄙和一切我們所不喜歡的事物和行為，也都可以統統消滅掉，所有的人都一樣健

康、漂亮、聰慧、高尚，結果會怎樣呢？怕是人間的劇目就全要收場了，一個失去差別的世界將是一條死水，是一塊沒有感覺也沒有肥力的沙漠。

看來差別永遠是要有的。看來就只好接受苦難——人類的全部劇目需要它，存在的本身需要它。看來上帝又一次對了。

於是就有一個最令人絕望的結論等在這裡：由誰去充任那些苦難的角色？又由誰去體現這世間的幸福，驕傲和歡樂？只好聽憑偶然，是沒有道理好講的。

就命運而言，休論公道。

那麼，一切不幸命運的救贖之路在哪裡呢？

設若智慧或悟性可以引領我們去找到救贖之路，難道所有的人都能夠獲得這樣的智慧和悟性嗎？

我常以為是醜女造就了美人。我常以為是愚氓舉出了智者。我常以為是懦夫襯照了英雄。我常以為是眾生度化了佛祖。

六

設若有一位園神，他一定早已注意到了，這麼多年我在這園裡坐著，有時候是輕鬆

快樂的，有時候是沉鬱苦悶的，有時候優哉游哉，有時候倆惶落寞，有時候平靜而且自信，有時候又軟弱，又迷茫。其實總共只有三個問題交替著來騷擾我，來陪伴我。第一個是要不要去死？第二個是為什麼活？第三個，我幹嘛要寫作？

現在讓我看看，它們迄今都是怎樣編織在一起的吧。

你說，你看穿了死是一件無需乎著急去做的事，是一件無論怎樣耽擱也不會錯過的事，便決定活下去試試？是的，至少這是很關鍵的因素。為什麼要活下去試試呢？好像僅僅是因為不甘心，機會難得，不試白不試，腿反正是完了，一切彷彿都要完了，但死神很守信用，試一試不會額外再有什麼損失。說不定倒有額外的好處呢是不是？我說過，這一來我輕鬆多了，自由多了。為什麼要寫作呢？「作家」是兩個被人看重的字，這誰都知道。為了讓那個躲在園子深處坐輪椅的人，有朝一日在別人眼裡也稍微有點光彩，在眾人眼裡也能有個位置，哪怕那時再去死呢也就多少說得過去了。開始的時候就是這樣想，這不用保密。這些現在不用保密了。

我帶著本子和筆，到園中找一個最不為人打擾的角落，偷偷地寫。那個愛唱歌的小伙子在不遠的地方一直唱。要是有人走過來，我就把本子合上把筆叼在嘴裡。我怕寫不成反落得尷尬。我很要面子。可是你寫成了，而且發表了。人家說我寫的還不壞，他們

甚至說：真沒想到你寫得這麼好。我心說你們沒想到的事還多著呢。我確實有整整一宿高興得沒合眼。我很想讓那個唱歌的小伙子知道，因為他的歌也畢竟是唱得不錯。我告訴我的長跑家朋友的時候，那個中年女工程師正優雅地在園中穿行。長跑家很激動，他說好吧，我玩命跑，你玩命寫。這一來你中了魔了，整天都在想哪一件事可以寫，哪一個人可以讓你寫成小說。是中了魔了，我走到哪兒想到哪兒，在人山人海裡只尋找小說，要是有一種小說試劑就好了，見人就滴兩滴看他是不是一篇小說，要是有一種小說顯影液就好了，把它潑滿全世界看看都是哪兒有小說，中了魔了，那時我完全是為了寫作活著。結果你又發表了幾篇，並且出了一點小名，可這時你越來越感到恐慌。我忽然覺得自己活得像個人質，剛剛有點像個人了卻又過了頭，像個人質，被一個什麼陰謀抓了來當人質，不定哪天就被處決，不定哪天就完蛋。你擔心要不了多久你就會文思枯竭，那樣你就又完了。憑什麼我總能寫出小說來呢？憑什麼那些適合作小說的生活素材就總能送到一個截癱者跟前來呢？人家滿世界跑都有枯竭的危險，而我坐在這園子裡憑什麼可以一篇接一篇地寫呢？你又想到死了。我想見好就收吧。當一名人質實在是太累了太緊張了，太朝不保夕了。我為寫作而活下來，要是寫作到底不是我應該幹的事，我想我再活下去是不是太冒傻氣了？你這麼想著你卻還在絞盡腦汁地想寫。我好歹又擰出

點水來，從一條快要曬乾的毛巾上。恐慌日甚一日，隨時可能完蛋的感覺比完蛋本身可怕多了，所謂不怕賊偷就怕賊惦記，我想人不如死了好，不如不出生的好，不如壓根兒沒有這個世界的好。可你並沒有去死。我又想到那是一件不必著急的事。可是不必著急的事並不證明是一件必要拖延的事呀？你總是決定活下來，這說明什麼？是的，我還是想活，人為什麼活著？因為人想活著，說到底是這麼回事，人真正的名字叫作：欲望。可我不怕死，有時候我真的不怕死。有時候，——說對了。不怕死和想去死是兩回事，有時候不怕死的人是有的，一生下來就不怕死的人是沒有的。我有時候倒是怕活。可是怕活不等於不想活呀？可我為什麼還想活呢？因為你還想得到點什麼，你覺得你還是可以得到點什麼的，比如說愛情，比如說價值感之類，人真正的名字叫欲望。這不對嗎？我不該得到點什麼嗎？沒說不該。可我為什麼活得恐慌，就像個人質？後來你明白了，你明白你錯了，活著不是為了寫作，而寫作是為了活著。你明白了這一點是在一個挺滑稽的時刻。那天你又說你不如死了好，你的一個朋友勸你：你不能死，你還得寫呢，還有好多好作品等著你去寫呢。這時候你忽然明白了，你說：只是因為我活著，我才不得不寫作。或者說只是因為你還想活下去，你才不得不寫作。是的，這樣說過之後我竟然不那麼恐慌了。就像你看穿了死之後所得的那份輕鬆？一個人質報復一場陰謀的最有效

的辦法是把自己殺死。我看出我得先把我殺死在市場上，那樣我就不用參加搶購題材的風潮了。你還寫嗎？還寫。你真的不得不寫嗎？人都忍不住要為生存找一些牢靠的理由。你不擔心你會枯竭了？我不知道，不過我想，活著的問題在死之前是完不了的。

這下好了，您不再恐慌了不再是個人質了，您自由了。算了吧你，我怎麼可能自由呢？別忘了人真正的名字是：欲望。所以您得知道，消滅恐慌的最有效的辦法就是消滅欲望。可是我還知道，消滅人性的最有效的辦法也是消滅欲望。那麼，是消滅欲望同時也消滅恐慌呢？還是保留欲望同時也保留人性？

我在這園子裡坐著，我聽見園神告訴我：每一個有激情的演員都難免是一個人質。每一個懂得欣賞的觀眾都巧妙地粉碎了一場陰謀。每一個乏味的演員都是因為他老以為這戲劇與自己無關。每一個倒霉的觀眾都是因為他總是坐得離舞台太近了。

我在這園子裡坐著，園神成年累月地對我說：孩子，這不是別的，這是你的罪孽和福祉。

七

要是有些事我沒說，地壇，你別以為是我忘了，我什麼也沒忘，但是有些事只適合

收藏。

不能說，也不能想，卻又不能忘。它們不能變成語言，它們無法變成語言，一旦變成語言就不再是它們了。它們是一片朦朧的溫馨與寂寥，是一片成熟的希望與絕望，它們的領地只有兩處：心與墳墓。比如說郵票，有些是用於寄信的，有些僅僅是為了收藏。

如今我搖著車在這園子裡慢慢走，常常有一種感覺，覺得我一個人跑出來已經玩得太久了。有一天我整理我的舊像冊，看見一張十幾年前我在這園子裡照的照片——那個年輕人坐在輪椅上，背後是一棵老柏樹，再遠處就是那座古祭壇。我便到園子裡去找那棵樹。我按著照片上的背景找很快就找到了它，按著照片上它枝幹的形狀找，肯定那就是它。但是它已經死了，而且在它身上纏繞著一條碗口粗的藤蘿。我當然記得園工們種那棵藤蘿時的情景，我卻不記得是在什麼時候它已經長到了碗口粗。有一天我在這園子裡碰見一個老太太，她說：「喲，你還在這兒哪？」她問我：「你母親還好嗎？」「您是誰？」「你不記得我，我可記得你。有一回你母親來這兒找你，她問我您看沒看見一個搖輪椅的孩子？……」我忽然覺得，我一個人跑到這世界上來玩真是玩得太久了。有一天夜晚，我獨自坐在祭壇邊的路燈下看書，忽然從那漆黑的祭壇裡傳出一陣陣嗩吶

聲。四周都是參天古樹，方形的祭壇佔地幾百平米空曠坦蕩獨對蒼天，我看不見那個吹嗩吶的人，惟嗩吶聲在星光寥寥的夜空裡低吟高唱，時而悲愴時而歡快，時而纏綿時而蒼涼，或許這幾個詞都不足以形容它，我清清醒醒地聽出它響在過去，響在現在，響在未來，回旋飄轉亙古不散。

必有一天，我會聽見喊我回去。

那時您可以想像一個孩子，他玩累了可他還沒玩夠呢，心裡好些新奇的念頭甚至等不及到明天。也可以想像是一個老人，無可質疑地走向他的安息地，走得任勞任怨。還可以想像一對熱戀中的情人，互相一次次說「我一刻也不想離開你」，又互相一次次說「時間已經不早了」，時間不早了可我一刻也不想離開你，一刻也不想離開你可時間畢竟是不早了。

我說不好我想不想回去。我說不好是想還是不想，還是無所謂。我說不好我是像那個孩子，還是像那個老人，還是像一個熱戀中的情人。很可能是這樣：我同時是他們三個。我來的時候是個孩子，他有那麼多孩子氣的念頭所以才哭著喊著鬧著要來，他一來一見到這個世界便立刻成了不要命的情人，而對一個情人來說，不管多麼漫長的時光也是稍縱即逝，那時他便明白，每一步每一步，其實一步步都是走在回去的路上。當牽牛

花初開的時節，葬禮的號角就已吹響。

但是太陽，他每時每刻都是夕陽也都是旭日。當他熄滅著走下山去收盡蒼涼殘照之際，正是他在另一面燃燒著爬上山巔布散烈烈朝輝之時。有一天，我也將沉靜著走下山去，扶著我的拐杖。那一天，在某一處山窪裡，勢必會跑上來一個歡蹦的孩子，抱著他的玩具。

當然，那不是我。

但是，那不是我嗎？

宇宙以其不息的欲望將一個歌舞煉為永恒。這欲望有怎樣一個人間的姓名，大可忽略不計。

午餐半小時

「軋軋軋」的縫紉機聲驟然全停，世界輕鬆了下來。暖洋洋的太陽從稀裡歪斜的小窗戶裡照進來，光柱中飄著無數飛塵。人們紛紛伸懶腰、打呵欠，互相瞧瞧，張張蒼老而呆板的面孔都像是融化了，從眼窩和嘴角現出淡淡的笑來。半小時午餐時間到了，喘口氣的時間到了，盡情笑罵一陣子的時間也就到了——這是照例的規矩，就像是西方的愚人節。

最幸福的人就在於他們有一種天賦——自行其樂。「什麼叫福分？你他媽覺著是福分，那就是福分，喊！」這理論是熨活兒的白老頭嚼著饅頭夾臭豆腐時發明的。至於是

誰熱情傳播的卻搞不清，反正所有的人都信服。也許這理論與阿Q的精神勝利法相近，可總共這八個半人（有一個雙腿癱瘓的小伙子只能算半個人）誰也不知道阿Q是什麼，倒是有人知道魯迅。為了他是否也住在中南海，大夥昨天剛剛探討過，儘管那個癱瘓小伙子表示了不同意見，但最後大夥還是同意了白老頭的見解：那麼有名的人，還用說？喊！

搪瓷缸子響了一兩陣，這間低矮的老屋裡彌漫著濃厚的韭菜餡味兒。「擱了幾毛錢肉？」「肉？哼，舌頭肉！」於是世界又是那麼安靜了。別忙，逗悶子的合適話題眼下還沒找到。

後窗戶外傳來汽車急刹車的聲音，人們一齊停止了咀嚼，支愣起耳朵。「活膩啦！」——準是什麼也沒軋著；又一陣發動機的隆隆聲，汽車開遠了。序幕也就拉開了。

「昨天下班，」瞇縫著兩只小圓眼睛的夏大媽向前探了一下脖子，急忙把嘴裡的一塊烙餅咽下去，「昨天下班，」她又趕緊喝了口水，作了一次深呼吸，「昨天下班，差點沒把我嚇死，走著走著，脊梁後頭就是這麼一響。」

「媽呀！怎沒把你噎死呢！」坐在對面的「小腳兒」掰了一塊菜包子扔進嘴裡，

「就這點屁事，我還當你撿了金剛鑽呢。」她撇一下嘴，轉過臉去，右腿搭在左腿上，四五寸長的纏足得意地擺動了幾下。

癱瘓的小伙子邊吃邊扒拉著算盤：「夏大媽，您這月半天事假，半天病假，扣您九毛二。」「我回頭一看，」夏大媽接茬說，「胡同這麼窄，汽車這麼寬，我可往哪躲？我這個跑呀……要是你那兩只寶貝腳，非給汽車打眼兒，沒治兒。」她瞅空報復了「小腳兒」一句。「趕我跑到胡同口，汽車才開過去。幾個小學生說是『紅旗』；光聽人說紅旗車，可咱壓根兒也不知道什麼樣的算紅旗車，你說……」她在腿上拍了一巴掌，似乎頗為沒能把紅旗車看個仔細而遺憾。

眾人聽到「紅旗」都肅然得沒有了笑聲，只有白老頭不以為然地「嘁！」了一聲說道：「你可真算白活。紅旗車？個兒大！漂亮！窗戶上的玻璃槍子兒打不透，德國造兒，全那樣！」他的目光和癱小伙子的目光相遇了，於是又補充道：「眼下中國也試驗成功了，坐那車的全是中央的名人，早年馬連良……」聽見癱小伙子偷偷地笑，白老頭含糊了。

然而「小腳兒」卻獨自吃吃地笑了起來，眾人越是罵她「瘋老婆子」，她越是笑得前仰後合了。

「叫車，叫車！這兒瘋了一個！」白老頭一本正經地朝門口跑去。「今兒早晨一來，我就看她屁股不像屁股，臉不像臉的了……」

「白大爺，一天事假，兩半天兒病假，扣您一塊八毛五。」癱小伙子又算清了一筆帳。

「扣吧扣吧，省得錢多賊惦記。」白老頭在門旮旯蹲下來，慷慨地說，眼睛卻仍舊看著「小腳兒」，一臉得意而狡猾的笑。

「小腳兒」終於止住了笑，卻打起嗝逆來：「呃！剛才這老東西說我，」她戳了夏大媽一指頭，「呃！我非給汽車打眼不可，呃！我要是給紅旗車打了眼兒，可他媽算我造化了，呃！消消停停一躺，來倆勤務兵侍候我，吃香的喝辣的，呃！」

「您還抽點什麼不？」白老頭瞇縫起眼睛湊過來，臉上又換了一副恭維的神情。

「咯！那是！」「小腳兒」斜掃了白老頭一眼，板起面孔。「白老頭子——哼！到那咱我還未準用你呢；白老頭子！買兩條中華過濾嘴兒去！」

「喳！」白老頭應道，隨即抓起「小腳兒」的手，認真地號起脈來。「您是醒著呢嗎？」他又說。

「小腳兒」揉了他一把：「怎麼著？他撞了我！」瞧她的意思，彷彿「造化」絕不

是什麼難事。

「就衝您這把糟骨頭？還消消停停一躺呢？是消消停停一躺——在太平間，要不火葬場。」白老頭撅斷一根火柴，不緊不慢地剔著一嘴黃牙。

「小腳兒」圓睜著眼睛沒了詞兒，事情真有點窩囊了。「我死了有我兒子呢！」她忽又來了精神。

「兒子死了還有孫子，子子孫孫是沒有窮盡的，這山挖一點就會少一點，有什麼挖不完呢？三七二十一，三下五除二……」癱小伙子念經一樣地自言自語，頭不抬，眼不斜，清理著帳目，咬著半拉火燒。

「你兒子怎麼著？」有人感興趣地問。

「他得給我兒子找房結婚！我兒子三十二了，對象二十九了，著哇！」「小腳兒」眼睛都亮多了，雖說菜包子滾到了地上，「這回算抄上了！房管所那破房咱還是看不上了，得他媽給我一個單元，有廚房有廁所的。我兒子兒媳婦住一間，我自個兒住一間……」

白老頭捅捅她：「我提個醒兒——你可早讓車撞死了。不要緊！那間房我替你住著，將來還能給你看看孫子什麼的，」他又聳聳鼻子，大約流些眼淚也容易，「你就算積了陰德，下輩子準托生只好東西。」

有人剛要笑，可是話又被另一個老太太接了過去。說是老太太，其實也並不怎麼老，不過是拔了滿口的牙一直沒鑲上，外加有點哮喘。嗓子裡的「小哨兒」一響，她說道：「不知怎的？讓汽車撞著也分個命好命歹。我們老頭子地震那年讓車撞折了腿，是農村的手扶拖拉機撞的，你訛誰去？開車的窮得叮噹響，怪可憐的……可我們老家有個傻丫頭去年讓一輛『上海』撞死了，怎麼著？一千塊錢！一千哪！才是輛『上海』……」

眾人的眉毛都皺成八字，嘴張得惟恐不圓。這兒再沒什麼開玩笑的意思了，每個人都放慢了咀嚼的頻率，似乎盤算著什麼。一時老屋裡頗有些寂寞，就連白老頭臉上也沒有了狡猾的笑紋。

「羅孀兒病假三天，扣您兩塊七毛七。」唯癱小伙子例外。

「要是我，」被稱作羅孀兒的說，「我就不要那一千塊錢，多少錢也有花完的時候，我讓他們給我找個正式工作，或者給坐『紅旗』的他們家當保姆就行。我們有個老街坊，不知哪輩子積了德，在一個大幹部家當保姆，人家順手給你點什麼破的舊的，用不著的，吃不了的，就他媽夠你一發。當然，給我分個正式工作也行……」

眾人眉間的豎紋一齊消失，可以算茅塞頓開。

「要不還得說是現在好？」專管釘扣子的盧奶奶從老花鏡上頭挑著一只眼（對了，

她只有一只眼）看著大伙，也有了感觸，「早年我們老頭子給個開藥鋪的掌櫃的拉包月車，十冬臘月我抱著我們大閨女去找他，他從廚子那兒給大閨女拿了塊年糕，還不挨了頓罵？有錢的吃什麼？吃……」她伸開兩手的拇指和食指，似乎中間是偌大的一個碗或者盤，「吃、吃」了半天，終於也沒「吃」出什麼來。花鏡後面的一只眼眨了又眨，「你瞧，頭兩天我們老頭子還念叨來……噢，吃綠毛烏龜，還讓海軍撈了活對蝦，空軍給運……」

「那是林彪！您弄混了。」癱小伙子雙手捧腮，似笑非笑地說。

「嘁！」白老頭咧著嘴站起來，就地轉了個圈又在凳子上坐下，「你可跟著瞎摻和呀？林彪又成藥鋪掌櫃的了吧，你又吃了林彪的年糕了吧，老了老了弄個歷史問題你可怎麼跟兒女交待！」

哄笑聲中，盧奶奶慢慢合攏伸開的手指，滿臉羞愧地笑了一會兒，不言語了。

人們重又回到原來的話題上。

「要是我，說什麼也得讓他們把我們他爸調回北京來，支援三線時說是三年就回來，這可倒好，我們『小援子』今年都十三了。」牆角處有人嘆了口氣。

火爐前有人點了支煙：「甭別的，要是我，能求他們幫著把我兒子從雲南轉回來就

行了。」

「還得給分個正式工作！」柱子後頭吐出了一口痰，「我們二小子從內蒙回來兩年多了，一直分配不出去。要是紅旗車開到廠門口，下道命令？廠長也得屁顛屁顛的！可惜……」

「唉！也甭貪心不足，能給咱老姐們兒長幾塊工資就行啊……」

低矮的老屋裡又一次沉默了，說是水足飯飽後的發呆？顯然不準確，因為一雙雙眼睛都閃著一種奇異的光——嚮往的光？欣喜的光？還是如願以償的光？說不好。總之，是這間東倒西歪的小車間裡罕見的光，是這些年過半百的眼睛裡少有的光。人們像一尊尊石像，直勾勾地望著一個固定的地方；有的在摳腮邊的痣，有的在揪鼻孔裡的毛，有的從鼻孔裡摳出些東西來在手指間揉著……好像都在諦聽著什麼福音。

「冰——棍兒！」深秋的風送進來一聲悠長的呼喚，竟把人們從那忘我的境界中喚醒過來。

「唉，我可不想讓汽車撞死。」不知是誰最先恍然大悟了。小巷深處響起一陣開心的笑，夾雜著庸俗的污言穢語。

「軋軋軋」的縫紉機聲響了，世界又緊張起來。

奶奶的星星

世界給我的第一個記憶是：我躺在奶奶懷裡，拚命地哭，打著挺兒，也不知道是為了什麼，哭得好傷心。窗外的山牆上剝落了一塊灰皮，形狀像個難看的老頭兒。奶奶摟著我，拍著我，「噢——，噢——」地哼著。我倒更覺得委屈起來。「你聽！」奶奶忽然說：「你快聽，聽見了麼……？」我愣愣地聽，不哭了，聽見了一種美妙的聲音，飄飄的、緩緩的……是鴿哨兒？是秋風？是落葉划過屋檐？或者，只是奶奶在輕輕地哼唱？直到現在我還是說不清。「噢噢——，睡覺吧，麻猴來了我打它……」那是奶奶的催眠曲。屋頂上有一片晃動的光影，是水盆裡的水反射的陽光。光影也那麼飄飄的、緩

緩的，變幻成和平的夢境，我在奶奶懷裡安穩地睡熟……

我是奶奶帶大的。不知有多少人當著我的面對奶奶說過：「奶奶帶起來的，長大了也忘不了奶奶。」那時候我懂些事了，趴在奶奶膝頭，用小眼睛瞪那些說話的人，心想：瞧你那討厭樣兒吧！翻譯成孩子還不能掌握的語言就是：這話用你說麼？

奶奶愈緊地把我摟在懷裡，笑笑：「等不到那會兒喲！」彷彿已經滿足了的樣子。

「等不到哪會兒呀？」我問。

「等不到你孝敬奶奶一把鐵蠶豆。」

我笑個沒完。我知道她不是真那麼想。不過我總想不好，等我掙了錢給她買什麼。爸爸、大伯、叔叔給她買什麼，她都是說：「用不著花那麼多錢買這個。」奶奶最喜歡的是我給她踩腰、踩背。一到晚上，她常常腰疼、背疼，就叫我站到她身上去，來來回回地踩。她趴在床上「哎喲哎喲」的，還一個勁誇我：「小腳丫踩上去，軟軟乎乎的，真好受。」我可是最不耐煩幹這個，她的腰和背可真是夠漫長的。「行了吧？」我問。「再踩兩趟。」我大跨步地打了個來回：「行了吧？」「唉，行了。」我趕快下地，穿鞋，逃跑……

於是我說：「長大了我還給您踩腰。」

「喲，那還不把我踩死？」

過了一會我又問：「您幹嗎等不到那會兒呀？」

「老了，還不死？」

「死了就怎麼了？」

「那你就再也找不著奶奶了。」

我不嚷了，也不問了，老老實實依偎在奶奶懷裡。那又是世界給我的第一個可怕的印象。

一個冬天的下午，一覺醒來，不見了奶奶，我扒著窗台喊她，窗外是風和雪。「奶奶出門兒了，去看姨奶奶。」我不信，奶奶去姨奶奶家總是帶著我的；我整整哭喊了一個下午，媽媽、爸爸、鄰居們誰也哄不住，直到晚上奶奶出我意料地回來。這事大概沒人記得住了，也沒人知道我那時想到了什麼。小時候，奶奶嚇唬我的最好辦法，就是說：「再不聽話，奶奶就死了！」

夏夜，滿天星斗。奶奶講的故事與眾不同，她不是說地上死一個人，天上就熄滅了一顆星星，而是說，地上死一個人，天上就又多了一顆星星。

「怎麼呢？」

「人死了，就變成一顆星星。」

「幹嘛變成星星呀？」

「給走夜道兒的人照個亮兒……」

我們坐在庭院裡，草茉莉都開了，各種顏色的小喇叭，掐一朵放在嘴上吹，有時候能吹響。奶奶用大芭蕉扇給我轟蚊子。涼涼的風，藍藍的天，閃閃的星星，永遠留在我的記憶裡。

那時候我還不懂得問，是不是每個人死了都可以變成星星，都能給活著的人把路照亮。

奶奶已經死了好多年。她帶大的孫子忘不了她。儘管我現在想起她講的故事，知道那是神話，但到夏天的晚上，我卻時常還像孩子那樣，仰著臉，揣摹哪一顆星星是奶奶的……我慢慢去想奶奶講的那個神話，我慢慢相信，每一個活過的人，都能給後人的路途上添些光亮，也許是一顆巨星，也許是一把火炬，也許只是一支含淚的燭光……

奶奶是小腳兒。奶奶洗腳的時候總避開人。她避不開我，我是「奶奶的影兒」。

「這有什麼可看的！快著，先跟你媽玩去。」

我蹲在奶奶的腳盆前不走。那雙腳真是難看，好像只有一個大腳趾和一個腳後跟。

「您疼嗎？」

「疼的時候早過去啦。」

「這會兒還疼嗎？」

「一碰著，就疼。」

我本來想摸摸她的腳，這下不敢了。我伸一個指頭，撥弄撥弄盆裡的水。

「你看受罪不！」

我心疼地點點頭。

「趕明兒奶奶一喊你，你就回來，奶奶追不上你。嗯？」

我一個勁點頭，看著她那兩只腳，心裡真害怕。我又看看奶奶的臉，她倒沒有疼的樣子。

「等我媽老了，腳也這樣兒了吧？」

一句話把奶奶問得哭笑不得。媽媽在外屋也忍不住地笑，過來把我拉開了。奶奶還在裡屋念叨：「唉，你媽趕上了好時候，你們都趕上了好時候……」

晚上睡在奶奶身旁，我還想著這件事，想像著一個老妖婆（就像《白雪公主》裡的

那個老妖婆，鼻子有勾，臉是藍的）用一條又長又結實的布使勁勒奶奶的腳。

「您媽是個老妖婆！」我把頭扎在奶奶的脖子下，說。

「這孩子，胡說什麼哪？」奶奶一愣，摸摸我的頭，懷疑我是在說夢話。

「那她幹嘛把您的腳弄成那樣兒呀？」

奶奶笑了，嘆口氣：「我媽那還是為我好呢。」

「好屁！」我說。平時我要是這麼說話，奶奶準得生氣，這回沒有。

「要不能到了你們老史家來？」奶奶又嘆氣。

「我不姓屎！我姓方！」我喊起來。「方」是奶奶的姓。

奶奶也笑，裡屋的媽媽和爸爸也笑。但不知為什麼，他們都不像往常那樣笑得開心。

「到你們老史家來，跟著背黑鍋。我媽還當是到了你們老史家，能享多大福呢……」奶奶總是把「福」讀成「斧」的音。

老史家是怎麼回事呢？奶奶幹嘛總是那麼討厭老史家呢？反正我不姓屎，我想。

月光照在窗紙上，一個個長方格，還有海棠樹的影子。街上傳來吆喝聲，聽不清是賣什麼的，總拖著長長的尾音。我看見奶奶一眨不眨地睜著眼睛想事。

「奶奶。」

「嗯?睡吧。」奶奶把手伸給我。

奶奶想什麼呢?她說過,她小時候也有一雙能蹦能跳的腳。拉著奶奶的手睡覺,總能睡得香甜。我夢見奶奶也梳著兩個小「抓髻」,踢踢踏踏地跳皮筋兒,就像我們院裡的惠芬三姐,兩個「抓髻」,兩只大腳片子……

惠芬三姐長得特別好看。我還只是個小孩子的時候,就覺得她好看了。她跳皮筋的時候我總蹲在一邊看,奶奶叫我也叫不動。但惠芬三姐不怎麼愛理我。她不太愛理人。只有她們缺一個人抻皮筋的時候,她才想起我。我總盼著她們缺一個人。她也不愛笑,剛跳得有點高興了,她媽就又喊她去洗菜,去合麵,去把她那群弟弟妹妹的衣裳洗洗。她一聲不吭地收起皮筋,一聲不吭地去幹那些活。奶奶總是誇她,誇她的時候,她也還是一聲不吭。

惠芬三姐最小的弟弟叫八子,和我同歲。他們家有八個孩子,差不多一個比一個小一歲。他們家住南屋,我們家住西屋。

院子中間,十字磚路隔開四塊土地,種了一棵梨樹和三棵海棠樹。春天,滿院子都

是白花；花落了，滿地都是花瓣。樹下也都種的花：西番蓮、草茉莉、珍珠梅、美人蕉、夜來香……全院的人都種，也不分你我。也許因為我那時還很小，總記得那些花都很高。我和八子常在花叢裡鑽來鑽去。晚上，那更是捉迷藏的好地方，往茂密的花叢中一蹲，學貓叫。奶奶總願意把我們攏到一塊，聽她說謎語：「青石板，板石青，青石板上……」「咳，是星星！」奶奶就會那麼幾個謎語。八子不耐煩了，又去找紙疊「子彈」；我們又鑽進花叢。「別崩著眼睛！唉……」奶奶坐在門前喊。「沒有，我們崩貓呢！」八子說。有一只外頭來的大黑貓，是我們的假想敵。「貓也別崩，好好的貓，你們別害巴它！」奶奶還在喊。我們什麼都聽不見了，從前院追到後院，又嚷又叫，黑貓躥上房，逃跑了。

八子特別會玩。彈球兒他總能贏，一贏就是大半兜，好的不多，淨是大麻殼、水泡子……他還會織逮蜻蜓的網，一逮就是一大把，每個手指縫夾兩只。他還敢一個人到城牆根去逮蛐蛐，或者爬到房頂上去摘海棠。奶奶就又喊：「八子，八子！什麼時候見你老實會兒！看別摔了腰！」八子愛到我們家來，悄悄的，不讓他媽知道，奶奶總把好吃的分給我們倆——糖，一人兩塊，或者是餅乾，一人兩三塊。八子家生活困難，平時吃不到這些東西。八子媽總是抱怨，「有多少東西，也不夠我們家那幾個『小餓狼兒』吃

的。」我和八子趴在奶奶的床上，把糖嚼得咂咂地響，用紅的、藍的玻璃紙看太陽，看樹，看在院裡晾衣服的惠芬三姐，我們倆得意地嘻嘻哈哈笑。「八子！別又在那兒鬧！」惠芬三姐說話總繃著臉，像個大人。八子嘴裡含著糖，不敢搭茬。「沒鬧，」奶奶說，「八子難得不在房上。」其實奶奶最喜歡八子，說他忠厚。

上小學的時候，我和八子一班。記得我們入隊的時候，八子家還給他做不上一件白襯衫，奶奶就把我的兩件白襯衫分一件給八子穿。八子高興得臉都發紅，他長那麼大一直是撿哥哥姐姐的舊衣服穿。臨去參加入隊儀式的早晨，奶奶又把八子叫來，給我們倆每人一塊蛋糕和兩個雞蛋。八子媽又給了我們每人一塊補花的新手絹，是她自己做的。八子媽沒日沒夜地做補花，掙點錢貼補家用。

奶奶後來也做補花，是八子媽給介紹的。一開始，八子媽不信奶奶真要做，總拖著。奶奶就總問她。

「八子媽，您給我說了嗎？」

「您真要做是怎麼的？」八子媽肩上掛著一綹綹各種顏色的絲線。

「真做。」

「行，等我給您去說。」

過了好些日子，八子媽還是沒去說。奶奶就又催她。

「您抽空給我說說去呀？」

「您還真要做呀？」

「真做。」

「您可真是的，兒子兒媳婦都工作，一月一百好幾十塊，總共四口人，受這份累幹嘛？」

「我不是缺錢用……」奶奶說。

奶奶確實不是為掙那幾個錢。奶奶有奶奶的考慮，那時我還不懂。

小時候，我一天到晚都是跟著奶奶。媽媽工作的地方很遠，尤其是冬天，她要到天挺黑挺黑的時候才能回來。爸爸在裡屋看書、看報，把報紙弄得窸窸窣窣的響。奶奶坐在火爐邊給媽媽包餛飩。我在一旁跟著添亂，捏一個小麵餅貼在爐壁上，什麼時候掉下來就熟了。我把麵粉弄得滿身全是。

「讓你別弄了，看把白麵糟踏的！」奶奶撣撣我身上的麵粉，給我把褉袖挽上。

「那您給我包一個『小耗子』！」

「這是餛飩，包餃子時候才能包『小耗子』。」

可奶奶還是擀了一個餃子皮，包了一個「小耗子」。和餃子差不多，只是兩邊捏出了好多褶兒，不怎麼像耗子。

「再包一隻『貓』！」

又包一隻「貓」。有兩隻耳朵，還有點像。

「看到時候煮不到一塊兒去，就說是你搗亂。」

「行，就說是我包的！」

奶奶氣笑了：「你要會包了，你媽還美。」

「唉——，你們都趕上了好時候，」我拉長聲音學著往常奶奶的語調：「看你媽這會兒有多美！」

奶奶常那麼說。奶奶最羨慕媽媽的是，有一雙大腳，有文化，能出去工作。有時候，來了好幾個媽媽的同事，她們「唧唧嘎嘎」地笑，說個沒完，說單位裡的事。我聽不懂，靠在奶奶身上直想睡覺。奶奶也未必聽得懂，可奶奶特別愛聽，坐在一個不礙事的地方，支楞著耳朵，一聲不響。媽媽她們大聲笑起來。奶奶臉上也現出迷茫的笑容，並不太清楚她們笑的是什麼。「媽，咱們包餃子吧，」媽媽對奶奶說。奶奶嚇了一跳，

忙出去看火，火差點就要滅了；奶奶聽得把什麼都忘了。客人們走後，奶奶的情緒一下子低落了，說：「你們刷碗、添火吧，我累了。」媽媽讓奶奶躺會兒。奶奶不躺，坐在那兒發呆。好半天，奶奶又是那句話：「唉，你們都趕上了好時候。」爸爸媽媽都悄悄的，只有我敢在這時候接奶奶的茬：「看你媽多美，大腳片子，又有文化，單位裡一大夥子人，說說笑笑多痛快。」「可不是麼。我就是沒上過學。我有個表妹……」「知道，知道，」我又把話茬接過去：「您有個表妹，上過學，後來跑出去幹了大事。」「可不真的？」奶奶倒像個孩子那樣爭辯。「您表妹也吃食堂？」我這一問把爸爸媽媽全逗樂了。奶奶有些尷尬：「六七歲討人嫌。」奶奶罵我只會這一句。不知為什麼，奶奶特別羨慕別人吃食堂，說起她羨慕或崇拜的人來，最後總要說明一句：「人家也吃食堂。」

後來，五八年，街道上也辦了食堂。奶奶把家裡的好多瓶瓶罐罐都貢獻了出去。她願意早早地到食堂門口去等著開飯。中午，爸爸媽媽都不回來，她叫我放了學到食堂去找她。賣飯的窗口開了，她第一個遞上飯票去：「要一個西紅柿，一個……嗯……」她把「一個」咬得特別清楚，但卻不自然；她有些不好意思，但又很驕傲似的。現在回想起來，她大概是覺得自己和那些能出去工作的人相仿了，可她畢竟又沒出去工作過。

是在我上小學二年級的時候，那些日子，奶奶晚上總去開會，總不讓我跟著。「又

不是去看戲！」奶奶說，脾氣變得很急躁。

我跟著奶奶看過不少老戲。奶奶做補花掙了錢，就請別人看戲，請八子媽，請姨奶奶，也請院裡的另一個老太太，自然每次都得請我——她的「影兒」也得佔一個座位。奶奶不會看戲，每次看戲之前都得請教那「另一個老太太」。那個老太大懂戲，也並非真懂，用現在的話說也就是個「名人愛好者」。什麼梅蘭芳、姜妙香、袁世海、張君秋……奶奶和我都是從她那兒得到啟蒙的。我坐在劇場的椅子上睡覺，我是為中間的十五分鐘休息來的；休息的時候小賣部賣酸梅湯，我使勁說渴，至少可以喝兩瓶。奶奶是說：「我年輕時候什麼戲也沒看過。」她大約是為補上這一課來的；平時胡同裡幾個老頭、老太太在一塊聊天，誰都比奶奶懂戲。奶奶什麼事都要強。不過只有一回，奶奶和那個老太太是都看懂了，不是戲，是電影《祝福》。看完了，奶奶直哭，那個老太太也直哭。「那時候可不就是那麼樣兒，」那個老太大說。「可不就那麼樣兒，」奶奶說。兩個人的眼睛都紅紅的。我不聲不響地跟在奶奶身後走。最慘的不是祥林嫂最後摔倒在雪地上，而是她捐了門檻，高高興興地回來的時候……奶奶後來總愛給別人講《祝福》，還是把「福」念成「斧」的音。不過她再也不願意看那個電影了。

一天晚上，奶奶又要去開會，早早地換上了出門的衣服，坐在桌邊發愣。

媽媽把我叫過來，輕聲對奶奶說：「今天讓他跟您去吧，回來道兒挺黑的。小孩兒，沒關係。」

我高興地喊起來：「不就是去我們學校嗎？我攙您去，那條路我特熟！」「噓——，喊什麼！」媽媽給了我一巴掌。媽媽的表情挺嚴肅。

我跑去找八子，我們倆早就想晚上去一回學校了。我們學校原來是一座大廟，八子說，晚上那兒的蛐蛐準少不了。

學校有好幾層院子，有好幾棵又粗又高的老柏樹，院牆上長滿了草，紅色的灰皮脫落了很多。天還沒黑，知了在老柏樹上「伏天兒——，伏天兒——」地叫著。奶奶到盡後院去開會，囑咐我們就在前院玩。這正合我們的心意，好玩的東西全在前院，白天被高年級同學佔領的雙杠、爬杆、沙坑，這會全空著。

「八子，真是跟你媽說了？」奶奶又問。

「真說了。」

八子衝我笑。他才不用跟他媽說呢，他常常在外面玩到半夜，他媽顧不上管他。我常常為此羨慕八子。

我們先玩爬杆，我爬不過八子。又玩雙杠，一人佔一頭，喊一聲「開始！」各自從

雙杠上躥過去抓對方，幾個來回之後，我總是上氣不接下氣地被八子抓住。八子身體好，也跑得快。跟八子出去玩，我不用擔心挨欺負，八子打架也特別厲害。

八子的功課一般，不像惠芬三姐，惠芬三姐很用功，還是少先隊大隊委。我也是班裡的學習尖子，但我至今記得，一有算術比賽，八子的成績總比我好。他就是不用功，不按時完成作業，語文總考六十幾分。小學畢業時，我考上了一所名牌中學，八子只考上了三流學校。現在想想，八子的天資其實比我強，我純粹是靠了奶奶的督促，靠爸爸媽媽總能在課後幫我補習。誰管八子呢？他晚上不是幫家裡幹活，就是跑出去瘋玩。惠芬三姐是個例外，她不聲不響地幹活，又不聲不響地讀書。八子媽嫌她晚上讀書費電，她就每天早早地起來在院子裡用功。六五年，惠芬三姐考上了大學。那時候她戴上了眼鏡，更漂亮了，文質彬彬的，有學問的樣子。我真羨慕八子有這樣一個姐姐。八子卻不放在心上，總拿她的「四眼兒」開玩笑。惠芬三姐不屑於理他。八子也不太愛理惠芬三姐。

太陽落了。

「唧——嘟嘟——」，天完全黑下來時，蛐蛐果然不少。「嘟嘟——嘟嘟嘟——」，東邊也叫，西邊也叫。我們順著聲音找，找到了一處牆根下。八子對準磚縫泚了一泡

尿，一會，蛐蛐就蹦出來，在月光底下看得很清楚。八子很快就把蛐蛐逮住，看看，又扔了。

「老迷嘴，不開牙，」他說。

我們又找，找到一塊大石頭旁邊，蛐蛐不叫了。八子示意我別出聲，我們蹲在石頭邊靜靜地等，大氣不出。蛐蛐又叫起來，「嘟嘟嘟——」，八子笑了。

「喲，我沒尿了。」

「我有！」我說。

「噓——，小點聲。衝這兒撒，對準了。」

逮到了一隻好的。八子從兜裡掏出一張紙，捲成紙筒，把蛐蛐裝進去。

月光真亮，透過老柏樹濃黑的枝葉，灑在院子裡，斑斑點點。那麼大的院子裡只有我們倆。教室都是原來大廟的殿堂，這會黑森森的，靜悄悄的，有點瘆人。星星都出來了。我想起了奶奶。八子逮起蛐蛐來入迷，蹶著屁股扎在草叢裡，順著牆根爬。

我對八子說：「我去看看後院有沒有蛐蛐。」

緊後院的南房裡亮著燈。我悄悄地爬上石階，扒著窗台往裡看。一排排的課桌前坐的全是老頭、老太太。我看見奶奶坐在最後排，兩只手放在膝蓋上，樣子就像個小學

生。我衝她招招手。沒看見，她聽得可真用心。我直想笑。奶奶常說，她要是從小就上學，能知道好多事，說不定她早就參加了革命呢！「我說不定就從你們老史家跑出去了呢。我有個表妹，就是從婆家跑出去的，後來進了共產黨……」奶奶老是講她那個表妹，說她就是因為上過學，知道了好些事，早早地放了腳，跑出去幹了大事。我又想笑了：奶奶跑起來是什麼樣呢？還是用腳後跟跑嗎？

講台上有個人在講話。講台兩邊還坐著好幾個人。有個女的老是給他們倒水喝。

我見過奶奶的那個表妹一回，只見過一回，在一個大樓裡。奶奶緊拉著我的手，在又寬又長的樓道裡走，東問西問。後來人家讓我們在一間屋子裡等著，屋子裡有好多沙發，可奶奶不讓我坐，她自己也站著。等了老半天，才來了一個女的，奶奶讓我管她叫表奶奶……

講台上的那個人講個沒完沒了。

我還從來沒有這麼遠遠地望著過奶奶。她直了直腰，兩只手也沒敢離開膝頭。這下您知道上學的滋味了吧？我又在心裡笑。奶奶每天晚上都抱著那本掃盲課本念，有一課是《國歌》，她老是把「吼聲」念成「孔聲」。「孔聲。」「又是孔聲！」連我都能提醒她了。她挺難為情，聲音變小，慢慢又大起來，念到「吼聲」的時候聲音又變小，停好一陣，大概

是在心裡重複……

就在這時候，我忽然聽清了講台上那個人講的話：「你們過去都是地主、富農，都是靠剝削農民生活，過的都是好逸惡勞，光吃不做的剝削階級生活……」

什麼?!再聽。

「……地、富、反、壞、右，你們是佔的前兩位。今後呢?你們還是要認真改造自己……」

我趕緊離開窗台，站在台階下不知該幹什麼，腦袋裡「嗡嗡」的。地主?奶奶也是地主?

八子來了。「嘿!看，六個!」

我應了一聲，趕緊往前院走。

「後院有嗎?你怎麼啦?」

「後院沒有，咱們還上前院吧。」

「前院都沒啦!」

「那，咱們玩爬杆去吧。」我拉著八子往前院走，我怕他也聽見……

奶奶拿回來一個白色的卡片。爸爸媽媽圍在奶奶身邊看，樣子倒像是很高興。奶奶直擦眼淚。

「這回就行了，您就甭難受了，」爸爸說。

「就是說，您跟大夥都一樣了，也有選舉權了，」媽媽說。

我趴在床上不說話。這是怎麼回事呀？我又不敢問。

「跟了你們老史家，唉……」奶奶又是那句話，說話的聲音也有些顫抖：「解放前我也沒過過一天舒心日子呀，比老媽子能強多少……」

「您可不能這麼想，」媽媽說，「您過的日子再不舒心，也是衣來張手，飯來張口呀！工人、農民呢？人家過的什麼日子？」

奶奶的臉騰地紅了，慌忙點頭：「我知道，我知道。我就那麼一說。人家過得牛馬不如，這我都知道。」

過了一會，奶奶又對爸爸說：「你還記得給老史家扛活的劉四嗎？後來得肺病死了，剩下劉四媳婦帶著仨孩子……那時候我也是自個兒帶著你們仨。我就跟你大哥說過，真要是分了家，咱們這份兒由我作主，我就把那一畝多地給了劉四媳婦……」

「您可也別總說這事兒，」媽媽又說，「那是因為您有，不在乎那一畝多。」

奶奶愣了一會，說：「可不也是，讓我都給，我準不幹。還不是剝削思想？」

「行了，」爸爸彈彈那張白卡片說，「這回您就過舒心日子吧。」

奶奶把白卡片用一條新毛巾包起來，說：「打解了放，沒什麼人告訴我，我也是愛這新社會。我可不想再受你們老史家的氣……喲，這孩子八成著涼了吧？我說不帶他去……」奶奶才發現我蔫蔫地趴在床上，忙打住話頭，哄我去睡覺。

奶奶摸摸我的頭：「不燒。準是玩累了。」

奶奶給我打來洗腳水，又摸摸我的頭：「明兒奶奶給你包餃子，扁豆餡的，愛吃嗎？」奶奶也好像高興起來了。

直到半夜我還沒睡著。我聽見奶奶總翻身，大概也沒睡著。我不敢動，我怕奶奶知道我在想什麼。窗外，海棠樹的葉子輕輕地搖晃，露出幾顆星星。奶奶怎麼會是地主呢？我想起過去奶奶給我講《半夜雞叫》的時候……「周扒皮就靠剝削人過日子。」奶奶說。「什麼叫剝削呀？」我問。「就是光吃飯不幹活兒。」「那我是嗎？」「你不是，你還小。」「那您是嗎？」……真的，奶奶那時就不說話了，是爸爸把話接了過去：「奶奶不是做補花嗎？奶奶老了，我們工作養活奶奶。」……唉，我心裡亂七八糟的，一宿都沒有睡安穩。海棠樹的葉子不動了，仍然看得見那幾顆星星……

有好幾年，我心裡總像藏著個偷來的贓物。聽憶苦報告的時候，我又緊張又羞愧。看小說看到地主欺壓農民的時候，我心裡一陣陣發慌、發悶。我也不再敢唱那隻歌——「汗水流在地主火熱的田野裡，媽媽卻吃著野菜和穀糠」；過隊日時，大家一起合唱，我的聲音也小了。我不是不想唱，可我總想起奶奶，一想起奶奶，聲音就不由得變小了。奶奶要不是地主多好啊！

我是解放後出生的，但還趕上了一些舊北京的「尾巴」。大人們都說我記事早。那時候，從早到晚，走街串巷做小買賣的和耍手藝的不斷。

一清早，就有挎著笸籮賣燒餅果子的，挎著小一點的笸籮賣爛糊蕓豆的，挑著挑兒賣老豆腐的。賣爛糊蕓豆的還有一塊布，你要是多花一分錢，他就把蕓豆包在布裡，給你捏成一個小蕓豆餅。奶奶有時候給我買一小碗蕓豆，但絕不讓捏成餅，說他那塊布「一點都不乾淨」。我就是想要一個蕓豆餅，於是哭、鬧。奶奶找來一塊乾淨布，自己給我捏。我還是哭、還是鬧，說那根本不是蕓豆餅，跟賣的一點都不一樣。奶奶就說：「再不聽話，你長大了也去賣蕓豆！那個賣蕓豆的老頭兒就是從小不聽話，長大了沒出息，去賣蕓豆。」

那時候，我們家住在東直門北小街附近。北小街再往北就出了城，很荒涼，破城牆、護城河邊長滿了荒草，地壇附近全是亂墳崗子，再走就是農村了。總有些趕大車的、拉排子車的從城外來，從北小街走過。馬蹄子踩在地上「咕唧咕唧」的。在我的印象裡，北小街永遠是滿地泥濘、滿地馬糞。馬的鼻子裡噴著白氣，趕車的人穿得很破、很髒，「哦——，哦——」地喊著。我心裡挺怕。奶奶拉著我的手站在路邊，就又對我說：「看你聽話不聽話，那些趕大車的就是從小不聽話，長大了就得去給人家趕大車。」

奶奶總這麼說。中午，修理雨傘旱傘的在街上吆喝，我又鬧著不睡午覺，我願意看那個人用豬血把一條條的高麗紙粘到傘上去。一會，磨剪子磨刀的又在外面吹喇叭，「嗚哇——」，我又想看那個喇叭。奶奶就又是那些話，要麼是「不聽話就得去磨刀」，要麼是「那個修理雨傘的就是因為不聽話，才那麼沒出息」……

自從知道了奶奶是地主（後來我又入了隊），想起這些事，我心裡就對自己說：奶奶可不是看不起勞動人民麼？

可是還有另外一些事，讓我沒法解釋。也是我很小很小時候的事。門口來了一個買破爛的女人，敲著一個像瓶子蓋似的小鼓兒，背著一個柳條筐，筐裡還站著一個比我還小的女孩兒。奶奶拿了幾件破衣服交給那個女的。「您要多少？」那女的問，翻來覆去

地查看那幾件破衣服。「這衣裳可還不算破，」奶奶說。「還不破？您瞧這袖子，這肩膀兒！頂多值……」那女的笑笑，說了個價兒。「那可不賣，」奶奶要收回那幾件衣服。那女的抓著衣服不撒手：「那您說個價兒。」奶奶又說了個價兒。「唉，您指著它發財哪？行啦，算我虧本兒！」那女的把衣服扔到筐裡，然後慢慢地掏錢。奶奶摸摸筐裡那個小女孩的臉蛋兒，奶奶就喜歡女孩子。「多大啦？」奶奶問那女的。「兩歲兒。」「幾個？」「仨，仨丫頭！」「她爸做什麼？」「沒了。」那女的把錢遞到奶奶手裡。奶奶忽然不言聲兒了，楞怔地看著那娘兒倆。她們穿的衣服一點不比筐裡的衣服好。那女的背起筐來要走，奶奶又把她叫住。奶奶回屋裡拿了兩件我穿小了的衣服來，給那個女的：「這可不破，我們這孩子穿著小點兒了。」「您要多少？」「不是，」奶奶說，「您要不嫌，就給您這小閨女兒穿吧。」「喲，那敢情……」那女的把衣服在小女孩身上比比，笑著：「大媽您瞧，還真挺合適的……」我心裡真高興，又「呱噠呱噠」跑回屋去，把我的好幾件衣服都抱來。奶奶的眼圈直發紅。那女的已經走了。為這事，奶奶總對爸爸媽媽誇我，說：「這孩子大了心眼兒錯不了。」

也許這又像媽媽說的，是因為我們有吧？可是我總覺得，奶奶的心腸絕不像個地主。周扒皮會那樣嗎？

不過，奶奶還是像個地主。住在北小街的時候，逢年過節，奶奶總把爺爺的舊照片擺在桌上，照片前擺兩盤點心。我沒有見過爺爺，媽媽說她也沒見過。照片上的那個男人穿一身緞子衣服，還戴個瓜皮帽，真像黃世仁，也像穆仁智。我想吃塊點心，奶奶不讓，說那是給爺爺的。

「這個人長得真難看，」我說。

「咳，不許瞎說！」奶奶把我從照片前拉開。

我還是遠遠地望著那照片：「他怎麼長得那樣兒呀？」

「他是你爺爺。」

「他是我爸爸的爸爸？」

「嗯。」

「他是您的什麼呀？」

奶奶又被逗笑了：「去問你媽，你爸爸是你媽的什麼。」

我跑去問，回來告訴奶奶：「是愛人。」

奶奶不言語，像是想著別的事……

奶奶那會兒不是在思念「失去的天堂」吧？上四年級的時候，我開始懂得了「階級

敵人總是思念他們那已經失去的天堂」，就這麼想。不過自從我上了小學以後，奶奶已經不再供爺爺的照片了。

唉，奶奶是地主，這個念頭總折磨著我。睡覺的時候，我不再把頭扎在奶奶脖子底下了。奶奶以為我是長大了，不好意思再那樣了。只有我自己知道是為什麼。而且我心裡也明白：我還是跟奶奶好——這想法更折磨人。星星還是那些星星，在樹葉間閃亮。奶奶會死嗎？想到這兒，我還是害怕……

經常有個老頭兒到我們家裡來。奶奶讓我管他叫表爺爺。一身農村人的打扮，說是從河北老家來。我很少叫他「表爺爺」，心裡只管他叫「饞老頭兒」。他一來就盤腿往床上一坐，喝茶、抽煙、滿地上吐粘痰。奶奶就得去給他買肉、打酒。有一次爸爸小聲對媽媽說話，讓我聽見了：「要說地主，他才真是地地道道的地主呢。」怪不得他這麼討厭呢，我想。

「饞老頭兒」夾一塊肉、喝一口酒，誰也不讓，好像他就應該到這兒來吃，來喝。

奶奶坐在他對面，陪他說話。

依我看，這「饞老頭兒」說的全是反動話。

「老嫂子，您猜怎麼著？」他說，「現在難得喝這麼口好酒了。有錢你也不敢這麼

買著喝。」

「是你勞動掙來的錢，你就甭怕，」奶奶說。

「那倒也是。您猜怎麼著？村兒裡對我還真不錯，瞧我這歲數，讓我餵牲口。活動活動，身子骨兒倒結實了。」

「你可得好好兒的。」

「那是。再者話說了，你不好好給人家幹也得行啊？」他喝得滿臉發紅，「吱咋」地響。

「給人家幹？」奶奶不滿意地斜了他一眼：「你這是給自個兒幹。過去人家才是給你幹哪！」

「說的是，說的是，」那「饞老頭兒」連連點頭，低頭光是吃，不言語了。

「你的帽子摘了嗎？」半天，奶奶又問。

「摘了，頭年就摘了。」

什麼帽子？摘什麼帽子？那時我還不懂。

「老嫂子，您猜怎麼著？我還真是心服口服。可不是嗎？一樣爹媽生的，肉長的，憑什麼你就光吃不幹呢……」他好像再找不出什麼詞兒來表白了，又說：「我可不像史

五爺那麼混橫兒不說理。」

「史五爺怎麼著?」

「還戴著呢。老話兒說了,『得人心者得天下』,共產黨就是得了人心。你史五爺逞能,有你的好兒?」

我越聽越糊塗,這傢伙到底是不是地主?也許他是裝的?可又不像。不過我還是討厭他,老是滿地吐粘痰。還有,一來就吃肉、喝酒,電影裡的地主就那樣。奶奶還老給他喝。唉,可不是嗎?奶奶也是地主呀……

有好幾年,對這件事我心裡總是惶惶的。我希望那是假的,但願是那個晚上我聽錯了。我去想奶奶做過的事,說過的話,一會覺得奶奶真是有點像地主,一會又覺得一點也不像。我幾次想問媽媽,又怕媽媽真說是。我真想找個人說說。我跟八子說了。八子聽了一愣,然後直笑:「你別瞎說了,奶奶要是地主我死了去!」八子也管我奶奶叫奶奶。「真的,我親耳聽見的,」我說。「準保是你聽錯了。」「也許是。」我說,心裡輕鬆了許多。八子又說:「解放前才有地主呢,現在哪兒有哇?」我的心又一陣子緊:「說的就是解放前。」「反正我敢說,奶奶不是!」八子又拍拍自己的胸脯:「要是,我死去!」八子說得那麼肯定,我覺得周圍的空氣都明澈了許多。那是個夏天的中午,院

子裡靜悄悄的。海棠已經有紅的了，梨還是青的，樹蔭下好涼快。八子揉著一團兒麵筋。我們常用麵筋去粘樹上落的蜻蜓。把麵筋放在竹竿的頂端，把竹竿慢慢升高，接近正在「做夢」的蜻蜓，「撲嚕嚕」，蜻蜓使勁扇動翅膀，但已經被粘住，跑不了啦。……奶奶不會是地主，奶奶還總讓我教她唱《社會主義好》呢。奶奶不會是地主，媽媽從單位裡借來一張桌子，奶奶總是把熱鍋什麼的放在我們家自己的桌子上，說「可別把公家的桌子燙壞了」，她怎麼會是地主呢……

六六年，我快十六歲了，早已經過了入團的年齡。可我卻總入不上。爸爸媽媽才跟我講了奶奶的事。

「你知道奶奶的成分是什麼嗎？」

我心裡「轟」地一陣緊張，不吭聲。

「你大概已經知道了吧？」

我說不出話來。

奶奶的娘家並不是地主，是個做小買賣的——開一個賣棉花兼而彈棉花的小店，總共一間半門臉兒。奶奶從小長得漂亮，父母指望能靠她發財，立志要把她嫁到富貴人家

去。那時代，在一個小縣城，要想作成富貴人家的賢妻良母，需要長得漂亮，需要把腳裹得特別小，需要會做各種針線活，需要會看公婆和男人的眼色……惟獨不需要念書識字，「女子無才便是德」。所以奶奶不能像她的弟弟、妹妹那樣去上學，也注定了要有一雙小腳兒，要學會恭謙、馴順、忍氣吞聲。為什麼呢？只是因為奶奶長得好，只是因為她的父母希望攀一門闊親戚。

父母的願望竟真實現了。十七歲，奶奶嫁到了「老史家」。史家是全縣的首富，全縣將近一半的土地都姓史。不過史家要的僅僅是一個漂亮而且賢惠的兒媳婦，奶奶的父母照樣開著那一間半門臉兒的小棉花店。奶奶的父母惟有想到女兒是走了運，才覺得多年的希望沒有全落空。

奶奶可真是「走了運」，上有公公、婆婆，下有一大群小叔子、小姑子；公婆之上還活著一對老公公、老婆婆。奶奶既是兒媳婦，又是孫子媳婦。侍候了這個侍候那個，給這個磕了頭給那個鞠躬，聽完了這個的申斥再去給那個賠不是，似乎「老史家」主要是缺一個老媽子，缺一個挨罵的，缺一個出氣筒，才把奶奶娶過來的。只有奶奶的婆婆還算通些情理，因為她也是那麼熬過來的，而且還沒熬完。

「你看過《家》嗎？」爸爸問我。

我點點頭。

「就是那樣。那種大家庭都是那樣兒。奶奶的地位比使喚丫頭也差不多。」奶奶病了，但是在那個大家庭，專為孫子媳婦做些可口的飯菜，等於是造反。奶奶的父母給奶奶送來些點心，但是得交到老公公那兒去。老地主還稀罕幾塊點心？但這是規矩。

我聽奶奶說起過這件事，奶奶根本沒見到那幾塊點心，奶奶的婆婆說了一句：「人家娘家送來的，她又病著……」於是也遭了一頓訓斥。

「你還記得《家》裡瑞玨是怎麼死的嗎？」

我又點點頭。

「奶奶生第一個孩子的時候就是那樣。老公公、老婆婆不讓找大夫，更甭說去醫院，他們捨不得花那份錢……」

在伯父前頭，我還應該有個姑姑的。我記起來了，奶奶常念叨她那個閨女，「模樣兒可俊了，要不是你們『老史家』，那孩子何至於死呀！」奶奶喜歡女孩子，就是因為她沒個閨女。一看見別人的閨女，她就眼熱，就想起自己那個死了的女孩子。所以奶奶對媽媽特別好，把媽媽當親閨女看。

「不是因為別的，因為那是規矩。」爸爸說，「就像你老太爺，出門兒幾十里，一泡屎也要憋回來拉到自家的地裡。因為那是規矩。那個社會，可笑和可恨的規矩太多了。」

奶奶生了三個兒子：伯父、父親、叔叔。叔叔還不到一歲，爺爺就死了。爺爺一死，奶奶在那個大家庭裡就更沒有地位了，沒有權也沒有錢。想給自己做件衣服，還得打著三個兒子的旗號去跟公公要。算計來算計去，要是能從給三個兒子做衣服的錢裡省出一點來，自己才能做件汗衫。大概惟因奶奶生了三個兒子，都是史家之後，奶奶才仍然能在「老史家」吃飯吧。

奶奶還不如讓「老史家」給轟出去呢，我想，那樣奶奶現在也就不是地主了。其實奶奶給他們幹的活也足夠換來一天三頓飯了。無論什麼時候，奶奶總得侍候得公公、婆婆、小叔子、小姑子以及兒子們都吃了飯，她自己才能吃。老媽子也不過如此了，老媽子也是永遠吃剩飯。

奶奶真想離開那個家。奶奶的表妹就是不堪忍受那種日子，跑出去參加了共產黨。可是奶奶的表妹上過學，碰巧知道了有共產黨，奶奶知道什麼呢？她想跑也不知道往哪兒跑。再說她也不敢跑，連改嫁她都不願意，她要守節，她受的就是那種教育。奶奶從

十幾歲守寡到今天。

她只盼著兒子們都長大。伯父稍大一點，奶奶壯著膽子提出了分家的要求，但立刻遭到公公的痛罵。小姑子、小叔子也旁敲側擊：「嫂子，您要是想改嫁也行，家不能分！」對奶奶來說，這話是最大的侮辱了。奶奶只有自己偷偷地掉眼淚。再說，離開「老史家」，三個兒子怎麼上學呢？上不起。也許是受了她那個表妹的影響，奶奶執意要三個兒子都上學，而且都要上到大學。吝嗇而且迂腐的老地主，連屎都要拉到自家地裡，自然不忍心把錢送到學校去，奶奶豁出去了，吵、鬧，罵他們欺服孤兒寡母。奶奶竟然變得那麼勇敢！可不是，奶奶還怕什麼呢？她全部的心願就是她的三個兒子。她不願意三個兒子將來跟自己似的，更不願意三個兒子將來跟「老史家」的人似的。她只知道上學好，她的表妹好，她的表妹之所以好，就是因為上過學。她那時候不知道別的……

我的心一陣陣發疼。我想起奶奶夜裡睜著眼睛想事的樣子；想起她的嘆氣聲；想起了她的腳；想起她捧著爸爸給她買的掃盲課本，在燈下一字一頓地念，總是把「吼聲」念成「孔聲」……

「她幹嘛算地主？」

「她吃了剎削飯。」

「她給『老史家』幹的活兒就不算啦?」我那時真小。

「那是歷史,歷史造成的,」爸爸說。

唉,歷史!「那現在呢?」

「早就不算地主了。奶奶改造得好,早就摘了地主帽子。再說,奶奶幹嘛不愛新社會呢?她這一輩子,真正有了自由,真正過了舒心的日子,倒是在解放後。現在奶奶和大夥都一樣了……」

我鬆了一大口氣,在心裡罵了一句最難聽的話,罵那個「老史家」。

奶奶知道爸爸媽媽把她的事告訴了我,見了我還有些難為情,又說要給我包扁豆餡餃子,小心地注意著我的反應。

我心裡又高興又難過,不知道說什麼好,只說:「包吧。」語氣倒像是很勉強。

奶奶轉悠過來轉悠過去,不說話,偷偷地觀察著我的表情。我一看她,她就又把目光躲開。我很想開句玩笑,打破這尷尬的氣氛,又想不出逗樂的話。

直到晚上睡覺的時候,我又把頭扎在奶奶的脖子底下。

「這麼大了還……沒臊!」奶奶說。

我覺出她也鬆了一口氣。奶奶的觀察力實在是末流的，她難道沒有注意到，我有好幾年沒把頭扎在她脖子下了嗎？

奶奶活了七十三歲，真正舒心的日子只有那麼幾年，就是從摘了地主帽子到「文化大革命」開始之間的那七八年。那些年，她整天都很忙，整天都很高興。她要給全家人做飯，要做補花，要負責全院的清潔衛生。奶奶是全院的衛生負責人。我還記得別人把寫了她名字的小紅紙條貼在院門上時，她是多麼不好意思，又是多麼掩飾不住地高興。為這事她得罪了八子媽，八子家的衛生總是搞不好。

奶奶買了一把長把笤帚，掃起院子來不用彎腰。她的腰和背還是老酸疼。早晨，人們紛紛出門上班的時候，奶奶去掃院門前的街道，和所有過往的街坊們打招呼。她願意被人們看見。說她愛虛榮也行，說她是顯擺也對，她把門前掃得很乾淨。然後她就衝八子和我喊：「可別再糟踏啦，啊？奶奶剛掃完！」確實是喊給別人聽的，但那聲音中也確實流露著舒心的驕傲。

奶奶堅持做補花。有時候活兒催得緊，她一直要做到半夜去，急得她就像小學生完不成作業那樣。全家人誰也幫不上忙，跟著著急。有一次媽媽說：「我看您就辭了這活

兒吧。」「敢情你們都有工作狂。」奶奶喊。奶奶從沒有對媽媽喊過，嚇得全家都不敢言語。奶奶盼望能進補花廠，但她知道沒什麼可能，她的歲數太大了，人家不會要。她總埋怨八子爸不讓八子媽進補花廠。「趁她還年輕，你就讓她去得了。要不趕明兒後悔一輩子！」奶奶對八子爸說。八子爸笑笑：「是我不讓她去嗎？」「去不了，」八子媽趕緊說，「這幾個『勞神精』誰管？」奶奶又說八子爸：「讓你要這麼多！」「是我生的嗎？」八子爸抽著煙笑。「不要臉！」八子媽罵。

活兒不緊的時候，和八子媽、還有其他幾個婦女一塊做補花，是奶奶最高興的時候。她們互相稱「老劉」、「老魏」、「老林」。奶奶是「老方」。奶奶非常喜歡這種稱呼，在家裡也「老劉」、「老魏」地念叨，是因為新奇，更透著自豪和滿足。「我們老姐兒幾個有說有笑的，也不覺著累，」奶奶說。「老了老了，沒曾想還趕上了好時候，」奶奶說。「唉，你們生的是時候呀！我還有幾天兒？」奶奶也常流露出遺憾。

星星，星星。星星。星星……

哪一顆星星是奶奶的呢？

我知道，奶奶是真心愛這新社會的。

那些星星都是死去的人變的，為了給活著的人把夜路照亮……

「文化大革命」一開始，奶奶又戴上了一頂「帽子」，不叫地主，叫「摘帽地主」。其實和地主一樣，佔黑五類之首。所不同的是，「摘帽地主」更狡猾些；一個地主，竟然能夠「摘帽」，顯見其偽裝是何等的高明，其用心是何等的險惡，對社會主義的威脅是何等的不可低估。而且這也成了「劉鄧路線」的罪行之一。

奶奶先是不能再做補花了。社會主義的工作怎麼能給一個地主呢？後來，也不能再當院裡的衛生負責人了。權力當然更重要。

奶奶倒沒有哭，她嚇傻了。爸爸媽媽也嚇傻了。好多人都嚇傻了。好多嚇傻了的人也都在做著傻事，做傻事時的樣子也都足以把別人嚇傻。

先是惠芬三姐從學校裡回來，用了半天時間，把院子裡的花全刨了。接著是北屋宋家幾個閨女把自己家的硬木大立櫃抬到院當中，用斧子給劈了。爸爸也偷偷地燒了幾本書。奶奶整天躲在屋子裡，掀開一角窗簾往外看；也不怎麼做飯，頓頓下掛麵。傳說垃圾站發現了好幾根金條。街道積極分子們懷疑是我們院裡的人扔出去的，一是因為我們院離垃圾站近，二是因為我們院裡除了八子家成分好，其餘的都是黑九類。

惠芬三姐當了「紅衛兵」，一身軍裝，紮一條武裝帶，長辮子剪了，剪成了短髮。說實在的，我覺得她更漂亮了。

我在學校裡也想參加紅衛兵，可是我出身不是紅五類，不行。我跟著幾個紅五類的同學去抄過一個老教授的家，只是把幾個花瓶給摔碎，沒別的可抄。後來有個同學提議給老教授把頭髮剪成平頭。剪沒剪我就不知道了，來了幾個高中同學，把非紅五類出身的人全從抄家隊伍中清除出去了。我和另幾個被清除出來的同學在街上惶然地走著，走進食品店買了幾顆話梅吃，然後各自回家。

院裡很亂，惠芬三姐帶了好幾個大學的紅衛兵，挨家挨戶地搜查。像是全院大掃除，各家的東西都擺到了院子裡。我們家裡也都空了，爸爸媽媽和奶奶坐在凳子上低聲說著什麼，很恐怖、很警覺的樣子。

「真是沒想到，」媽媽說。

「平時看著可是挺老實的人，」奶奶說。

「您可別再這麼說了，老實人會藏這些東西？」

「誰呀？藏了什麼？」我問。

原來是惠芬三姐帶著人從那個最懂戲的老太太家抄出了兩箱子綢緞，一盒子金銀首

飾，還有一本書，書上有蔣介石的像。

「在哪兒呢？」

「已經送走了，連東西帶人都送走了。」

我隔著窗戶往外看。又來了幾個紅衛兵，惠芬三姐正和一個挺高挺魁梧的男的說話，嗓門兒很大。她過去可從來不大聲說話的。她還說了一句「×他媽的」，從表情上看好像她並沒有那麼說。也許是我聽錯了？我們學校的那些女生也都那麼說了。我覺得我們男生那麼說說還可以……

媽媽讓我回學校去住。我上中學的時候住校。媽媽說：「這一陣子先不要回家，有什麼事我去找你。」媽媽給了我三十塊錢，六十斤糧票，看來夠兩個月的伙食費了。

晚上，我蹬上我那輛破自行車回學校。我兜裡第一次掖了那麼多錢、那麼多糧票。路上冷冷清清的。已經是秋天了。自行車軋在乾黃的落葉上「嚓嚓」地響。路燈的光線很昏暗，影子從車輪下伸出來，變長，變長，又消失了。我好像一時忘記了奶奶，只想著回到學校裡該怎麼辦。那條路很長，全是落葉……

一天，媽媽到學校來找我，對我說，要是想回家就到她的單位去，她在那兒找了一間房；奶奶已經回老家了。

「什麼時候？」

「前天。」

「怎麼啦？」

「沒怎麼。我們怕出事，和你爸爸商量，不如先讓奶奶到老家去。」

我倒是鬆了一口氣。那些天聽說了好幾起打死人的事了。不過坦白地說，我鬆了一口氣的原因還有一個：奶奶不在了，別人也許就不會知道我是跟著奶奶長大的了。我生怕班裡的紅衛兵知道了這一點，算我是地主出身。

「過些時候，我就去看你奶奶，再給她送些東西去，」媽媽說，聲音有些抖。

忘記是為了什麼了，我又回了一趟家（可能是為了拿一件什麼東西）。院裡已經面目全非了。花沒了，地上刨得亂七八糟的，沒人管；每棵樹上都釘上了一塊語錄牌；搬來了好幾家新街坊。八子家也搬走了，聽說搬到胡同東頭的一個大院子裡去了。那兒原來住著個資本家，被轟走了，空下來不少好房。

我走進屋裡，才又想到，奶奶走了。屋裡的東西歸置得很整齊，只是落滿了灰塵。奶奶不在了。奶奶在的時候從來沒有灰塵。那個小線笸籮還在床上，裡面是一綹綹彩色的絲線，是奶奶做補花用的。我一直默默地坐著。天黑了。是陰天，沒有星星。奶奶這

會兒在哪兒呢？幹什麼呢？屋裡沒有別人，我哭了。我想起小時候，別人對奶奶說：「奶奶帶起來的，長大了也忘不了奶奶。」奶奶笑笑說：「等不到那會兒喲！」……海棠樹的葉子落光了，沒有星星。世界好像變了個樣子。每個人的童年都有一個嚴肅的結尾，大約都是突然面對了一個嚴峻的事實，再不能睡一宿覺就把它忘掉，事後你發現，童年不復存在了。

接著是轟轟烈烈的兩三年。我時常想起奶奶。但史無前例的事太多，聽也聽不過來，想也想不過來。不斷地把人打倒，人倒不斷地明白了許多事情。打人也是為革命，罵人也是為革命，光吃不幹也是為革命，橫行霸道、仗勢欺人、乃至行兇放火也是為革命，只要說是為革命，幹什麼就都有理。理隨即也就不值錢。

接著是上山下鄉。掄鐝頭的為革命而掄鐝頭，仰望選美的為革命而仰望選美；飢寒交迫的為革命而飢寒交迫，揮霍無度的為革命而無度地揮霍。革命又是為了什麼呢？

我在延安插隊的時候，媽媽來信說奶奶回來了，奶奶歲數太大了，農村裡沒她幹的活，公社給了證明，說奶奶改造得好，態度非常老實。奶奶又在北京落下了戶口。

七二年我也轉回了北京。那年奶奶七十歲，頭髮全白了。爸爸媽媽又都到雲南幹校去了，又剩了我跟奶奶。或者說是，奶奶跟著我。我已經二十出頭了。我懂得了什麼是歷史。很多事情並非是因為人怎麼壞，而是因為人類還沒有弄明白那些事情為什麼是壞。譬如說奶奶，她還不明白地主為什麼壞，就注定是地主了。也可以說這是命運，但革命不正是為了把全人類都從那種厄運中解放出來嗎？

但那還是一九七二年。

我回到北京的時候是半夜。在車站坐了半宿，到家的時候天還不亮。我推推院門，院門開了。我推推屋門，門上有鎖。我一愣。院裡的人還都沒起，很靜，誰家屋裡傳出響亮的鼾聲。奶奶這麼早上哪兒了呢？還是那四棵樹，一棵梨樹，三棵海棠，但樹葉都被蟲子咬得斑斑駁駁的。院裡蓋起了好幾間小廚房，歪七扭八，灰壓壓的。

北屋門一響，宋家老頭出來了：「喲，你回來啦？你奶奶這幾天淨念叨你呢。」

「我奶奶這麼早上哪兒了？」

「你沒瞧見？就在外頭掃街哪。」

我跑出院門。遠遠的晨霧中，有一個人影，用的是長把笤帚，是奶奶。後來我才知道，奶奶這麼早來掃街，是為了躲過人多的時候，怕讓人看見。她現在是以一個地主的

身分在掃街，在改造，不是像當年那樣是衛生負責人。

奶奶見了我立刻就哭了。

我把奶奶攙進屋，勸她，安慰她。我才不說「這是群眾運動，您應該理解」呢！她怎麼會理解呢？多少大人物不是都不理解嗎？只是當我說到「群眾的眼睛是亮的」的時候，奶奶才不哭了，連連點頭，說街坊鄰居對她都不錯，街道積極分子對她也不錯，居委會主任還偷偷勸她別往心裡去，掃起街來也得悠著點。奶奶掃街總是超額，甚至加倍。

「還記得八子嗎？」奶奶問我。

「當然。」我早就聽說八子這幾年在街上很出名，外號叫「八爺」，一般的流氓小偷都服他。八子沒有去插隊。

「可不是嗎，唉！可是他見了我，還是管我叫奶奶，」奶奶說。這似乎使她非常感動。

奶奶又說：「沒人的時候我跟八子說，可得好好的，要不將來後悔一輩子。他倒是低頭兒聽著。別人說他，他連聽都不聽呢。」

「他進工廠了？」

「沒有。先前他想進工廠，人家說他不去插隊，不給他分配。這會兒人家給他分配了，他又嫌工作不好，不去，等著。他可倒也不缺錢花，又抽煙，又喝酒。他還老跟我說：像您這麼老實管什麼用！」

「惠芬三姐呢？」

「咳，還提惠芬呢！分配在外地，二十七八了，還沒個對象。她那個對象武鬥的時候死了，惠芬總還是想著那個人，時常說點子不著邊兒的話，說不是那個人她就不結婚……可那個人都死了好幾年啦。這都是八子跟我說的。頭些日子，我掃街時候碰上了惠芬，她頭兒也不抬。八子說，她不是光不理我，誰她都不理……」

我想起六六年查抄「四舊」的時候了，在院子裡，惠芬三姐和一個男大學生說話，那男的又高又魁梧，他會不會就是惠芬三姐的對象呢？

唉！「奶奶，咱們包扁豆餡餃子吧！」我說。世上的事都想明白了好像也不符合辯證法。

「行啊！」奶奶高興起來：「我給你錢，你去買肉餡吧。」

媽媽給我寫信的時候就說，回了北京好好照顧奶奶，想辦法給奶奶弄點好的吃。奶奶一個人老是熬粥、吃饅頭、炒白菜什麼的；她不願意去買肉，怕讓人看見說她沒改造

好。

「您管它那些呢！」我說，「肉鋪裡賣肉就是為讓人吃的。革命就是為讓所有的人都過好日子！」

「可還有好些人連饅頭、炒白菜都吃不上呢。老家的人，好些貧農下中農，吃也吃不飽。」奶奶一本正經的神氣。

我真得承認：奶奶的覺悟比我高。我開了個玩笑：「您可不能這麼說。您說貧下中農現在還吃不飽，那還行？」

奶奶嚇壞了，說不出話來。可不？在那些年，這可不是玩笑。

最後這幾年，奶奶依舊是很忙。天不亮就去掃街。吃了早飯就去參加街道上辦的「專政學習班」。下午又去挖防空洞。

「您這麼大歲數，挖什麼呀？還不夠添亂的呢！」我說。

奶奶聽了不高興：「我能幫著往外撮土。」

「要不我替您去吧。我挖一天夠您挖十天的。我替您去幹一天，您就歇十天。」

「那可不行。人家讓我去是信任我。你可別外頭瞎說去。好不容易人家這才讓我去

了。」

奶奶還是那麼事事要強。

最讓奶奶難受的是人家不讓她去值班。那時候，無論春夏秋冬，不管刮風下雨，北京所有的小胡同裡都有人值班。絕大多數是沒有工作的老頭、老太太，都是成分好的，站在胡同口，或拿個小板凳坐在牆角裡，監視壞人，維護治安。每個人值兩個小時，一班接一班。奶奶看人家值班，很眼熱，但她的成分不好。

一天，街道積極分子來找奶奶，說是晚十點到十二點這一班沒人了，李老頭病了，何大媽家裡離不開，一時沒處找人去，讓奶奶值一班。奶奶可忙開了，又找棉襖，又找棉鞋。秋風刮得挺大。

「真要是有壞人，您能管得了什麼？他會等著讓您給他一拐棍兒？」

「人家這是信任我。」

「就算您用拐棍兒把他的腿勾住了，他也得把您拉個大馬趴。」

「我不會喊？」

「我替您去吧。」

「那可不行！」奶奶穿好了棉衣，拿著拐棍兒，提著板凳，掖著手電筒，全副武裝

地出了門。

我出門去看了看。奶奶正和上一班的一個老頭在聊天。還不到十點。兩個人聊得挺熱火。風挺大，街上沒什麼人。那老頭在抱怨他孫子結婚沒有房……

十點剛過，奶奶回來了。

「怎麼啦？」

奶奶說：「又有人接班了。」臉色挺難看。

「有人了更好。咱們睡覺。」

奶奶不言語，脫棉襖的時候，不小心把手電筒掉地上了，玻璃摔碎了。

「您累了吧？我給您按摩按摩？」

奶奶趴在床上。我給她按摩腰和背。她還是一到晚上就腰酸背疼。我想起小時候給奶奶踩腰，覺得她的腰背是那樣漫長。如今她的腰和背卻像是山谷和山峰，腰往下塌，背往上凸。

我看見奶奶在擦眼淚。

「算了，什麼大不了的事兒！」我說。

「敢情你們都沒事兒。我媽算是瞎了眼，讓我到了你們『老史家』來……」

海棠樹的葉子又落了，樹枝在風中搖。星星真不少，在遙遠的宇宙間痴痴地望著我們居住的這顆星球……

那是一九七五年，奶奶七十三歲。那夜奶奶沒有再醒來。我發現的時候，她的身體已經變涼。估計是腦溢血。很可能是腦溢血。

給奶奶穿鞋的時候我哭了。那雙小腳兒，似乎只有一個大拇趾和一個腳後跟，這雙腳走過了多少路啊。這雙腳曾經也是能蹦能跳的。如今走到了頭。也許她還在走，走進了天國，在宇宙中變成了一顆星星……

現在畢竟不是過去了。現在，在任何場合，我都敢於承認：我是奶奶帶大的，我愛她，我忘不了她。而且她實在也是愛這新社會的。一個好的社會，是會被幾乎所有的人愛的。奶奶比那些改造好了的國民黨戰犯更有理由愛這新社會。知道她這一生的人，都不懷疑這一點。

當然，最後這幾年，她心裡一定非常惶惑。我不能原諒自己的是這樣一件事：那時每天晚上，奶奶都在燈下念報紙上的社論。在那個「專政學習班」裡，奶奶是學的最好的一個。她一字一頓地念，像當年念掃盲課本時那樣。我坐在桌子的另一邊看書。顯然是有些段落她看不大懂，不時看看我，想找機會讓我給她講一講。我故意裝得很忙，不

給她這個機會，心想：您就是學得再好，再度誠些，人家又能對您怎麼樣？那正是「反擊右傾翻案風」的時候，淨是些狗屁不通的社論。奶奶給我倒茶，終於找到了機會。

「你給我講講這一段行不？」

「咳，您不懂！」

「你不告訴我，我可不老是不懂。」

「您懂了又怎麼樣？啊？又怎麼樣？」

奶奶分明聽出了我的話外之音。她默默地坐著，一聲不響。第二天晚上，她還是一字一句地自己念報紙，不再問我。我一看她，她的聲音就變小，挺難為情似的……

老海棠樹還活著，枝葉間，星星在天上。我認定那是奶奶的星星。據說有一種螞蟻，遇到火就大家抱成一個球，滾過去，總有一些被燒死，也總有一些活過來，繼續往前爬。人類的路本來很艱難。前些時候碰上了惠芬三姐，聽說因為她「文革」中做了些錯事，弄得她很苦惱，很多事都受到影響。我就又想起了奶奶的星星。歷史，要用許多不幸和錯誤去鋪路，人類才變得比那些螞蟻更聰明。人類浩蕩前行，在這條路上，不是靠的恨，而是靠的愛……

法學教授及其夫人

「之死」在這裡是一個專用詞，那是法律系解教授和他夫人陳謎的外號，前者為「之死先生」，後者是「之死夫人」。就連他們的獨生子也這樣叫。兩位老人也不免為之尷尬，但所幸的是只有熟人才這樣叫，而且叫起來也並無惡意。

解教授身材高而且不瘦，臉上的表情總是很認真。他覺得自己一輩子不曾欺騙過任何人。他常說，他是研究「法」的，「法」就其維護真理、申張正義的本質來講，是最光明正大的事業，從事這一事業的人，本身就不能有任何一點點欺騙行為。

陳謎個子小而且不胖，一張孩子般小而圓的臉上，布滿了皺紋，看上去很善良。她

認為自己一輩子不曾被任何人欺騙過。她常想，不欺騙人固然很好，但如果總覺著自己被人欺騙了，豈不把別人想得太壞？豈不也等於欺騙人？

曾有過一位朋友，向這兩位老人借了三十元錢，不知是因為遺忘還是有意，竟一直沒還。解教授皺皺眉毛，說：「這不好，三十元錢我們可以白送，如果他需要。但欺騙……不好。」陳謎立刻像受了什麼冤屈似的反駁：「倘若人家有錢，人家就會還；人家不來還，就說明人家實在是有困難。你怎麼能這樣想？」解教授欣然同意了妻子的正直，並且由衷地感到慚愧。這以後，兩位老人甚至不敢登那位朋友的家門了，因為怕人家以為是來討帳，那樣豈不既有被騙之嫌，又有騙人之嫌嗎？——這是他們的獨生子當笑話向別人講的。

這樣兩位老人，何以竟有「之死」這樣一個不好聽的外號呢？據說那是在公元一千九百六十九年得來的。

在一個有風的下午，兩位老人去參加一個鬥爭「走資派」的大會。原來的學校黨委書記彎著腰在台上站了六個多小時，頭上還流著血，血還把白頭髮染紅了。陳謎看著看著，忍不住哭出了眼淚。散會後，在回家的路上，好心的同志對她說：「要是心裡難受，就回家哭，在會場上哭，你真是老糊塗了。」陳謎頓時驚得站住，眼睛愣愣地瞪

著，嘴裡說道：「哎呀哎呀，嘖嘖嘖……」彷彿徹悟了世間的一切。

待她總算走回家，把這事告訴了解教授，解教授平生第一次像作了賊似的看著妻子，半晌才說：「這，這可是明目張膽地同情……」兩位老人晚飯沒吃，覺也不睡，背著獨生子，商量該如何澄清一下「事實」。

「你不能說你是想起了別的什麼辛酸事嗎？」

「那不是欺騙嗎？再說，那樣人家會說你是不認真參加政治……你看我是不是說沙子迷了眼？」

「那也沒人信，沙子怎麼會一下子迷了兩只眼，你不是兩只眼睛都流了淚嗎？……我看你可以說你有『見風流淚』的毛病。」

「對對對！我年輕時還真有過『見風流淚』的毛病，不過現在好了，不過這也就不算欺騙了。」

「你還得強調一下，你根本不是哭，確實是……」

「對對對……」

半夜，陳謎去敲了臨時革委會主任的家門，對主任說，她年輕時就留下了「見風流淚」的毛病。本來她還想說，在鬥爭會上她根本不是哭，但靈機一動想到，那豈不是

「此地無銀三百兩」？就沒說。主任莫名其妙了，以為陳謎年輕時留下的大約是「夢遊」的毛病，便一直把她送回了家。

「她為什麼一直送我回家？還總是這麼緊拉著我？」陳謎對尚未睡下的解教授說。兩位老人都心驚肉跳了。

天還沒亮，陳謎又到了「造反司令部」門前。一個多小時以後，她對第一個來開門的造反派說，她年輕時留下的「見風流淚」病到今天確實還不見輕。那個造反派戴個黑邊眼鏡，仔細看了看陳謎因徹夜未眠而發紅的眼，認為她定是走錯了地方。因為校醫院是在「造反司令部」的旁邊，他把她指引到校醫院的眼科門診室去了。

「莫非真要讓我檢查眼睛？」她想著，在眼科門診室前戰戰兢兢地徘徊，漸漸她感到半身麻木，頭暈目眩，直到摔倒在地為止。

就這樣，陳謎得了腦血栓，偏癱了。看過契訶夫的小說《一個官員之死》的好心人，便給解教授夫婦取下了「之死」這樣一個不好聽的外號，並且不懷惡意地叫他們。陳謎聽了感到尷尬，但卻也感到幸運：沒有追究她眼科檢查的結果。從此以後，她處處謹慎小心，強令自己的感情緊跟形勢，再沒犯錯誤。解教授也為此事感到難堪。從那時起，他覺得在他與別人之間，別人與別人之間，甚至自己與自己之間，欺騙出現了。

一個不曾欺騙過任何人，一個不曾被任何人欺騙過，兩位老人和諧地度過了幾十年，活到了六十歲，活到了二十世紀七十年代中期。這真正是個風雷激、雲水怒的時代，一切都要變。

解教授在家裡常常看著看著報紙便罵出聲來：「狗屁不通！」可到了教研組的讀報會上，卻一言不發。他豈不是變了？變得欺騙了？有時，解教授的老朋友來家聊天，或是獨生子的同學來家談事，陳謎——她的半身不遂大有好轉了——總是不厭其煩地說：「小點聲，小點聲，無論說什麼都要小點聲。」然後，她就戰戰兢兢地走上涼台，戰戰兢兢地四下張望。雖然四周什麼事也沒發生，但她戰戰兢兢的毛病算是留下了，那或許是半身不遂的後遺症。陳謎豈不是變了？變得多心了？獨生子也變了，他有什麼事都瞞著二老，他害怕二老的誠實。就是兩位老人之間和諧的關係也變了，變得常拌嘴了。解教授說：「民族將亡，我還有什麼可活！」陳謎央告：「你就小點聲吧，老糊塗了？」解教授生氣地拍桌子：「你才老糊塗呢！」陳謎便在床邊愣愣地坐下，嘆一口氣，覺得世間的一切總不能徹悟。

一切都要變。到了一千九百七十六年春，一個巨變降臨在解教授家：獨生子——他們一向認為還是個孩子的獨生子，在「天安門事件」中被抓進了監獄。解教授捶胸頓足

地發怒，陳謎抽抽搭搭地啼哭。

解教授拍著桌子喊：「悼念周總理何罪之有？」

陳謎哆哆嗦嗦地關上窗戶說：「哎呀哎呀，嘖嘖嘖……你就小點聲吧！」

解教授氣憤地來回踱步：「憲法規定，人民有言論自由！有集會、遊行的自由！這樣抓人是違法的！」

陳謎坐在角落裡：「哎呀哎呀，嘖嘖嘖……可言論自由、集會和遊行的自由只給人民，不給敵人呀，你不是也這麼說嘛。」

解教授一愣，馬上說：「我們的兒子不是人民嗎？」

「可自從他在天安門自由言論了之後、自由集會了之後，人家就不承認他是人民了，還給不給他言論的自由、集會和遊行的……也就難說了。」

「什麼？」解教授完全愣住了。

「唉，這孩子真不聽話！用自由的言論把言論的自由給弄丟了，要不自由言論，本來他可以永遠言論自由，也就還是人民。可這自由言論了之後，之後，之後人家就有理了，你說人家這還違法嗎？」陳謎巴望丈夫給她一個滿意的回答。

但解教授一下子跌倒在椅子上，呆呆地望著妻子，默默地聽著角落裡的啜泣聲。許

久，許久，他一動不動。

陳謎害怕了，叫一聲：「解……」

「謎，」解教授慢慢地說，「我教了一輩子法律，卻一直沒發現這個毛病。這毛病，就出在——什麼樣的人是人民，什麼樣的人是敵人，沒有一個嚴謹的法律標準，而是由那些淩駕於法律之上，逍遙於法律之外的人說了算，法律在這兒成了裝飾……給瞎子戴一副眼鏡，給啞巴的嘴上吊一個擴音器，卻要把能看的眼睛挖掉，把能說的嘴巴縫上……」

「你，住口！」陳謎騰地站起來，驚叫道，「你瘋啦？兒子還沒出來，你也想進去嗎？你老糊塗了！」

解教授嚴肅地說：「不，我老明白了。你也並不糊塗，你是被法西斯式的鎮壓嚇出毛病來了。」解教授平生第一次用負疚的目光看著妻子，「你被欺騙了，真的，欺騙你的，也有我。」

陳謎不說話了，她想：「再說下去，不知老頭子會說出什麼來，反正說什麼也沒用了，兒子畢竟是坐了牢，老頭子要是再……」她戰戰兢兢地走上涼台，戰戰兢兢地四下張望。她那小而圓的臉上布滿了恐懼的皺紋，因為她看見不遠的地方有一個穿紅衣服的

人，那人要是聽見老頭子剛才說的話可怎麼辦？

這之後，解教授整天埋頭於馬列著作、毛主席著作以及其他參考書之中了，他開始重新研究他的「法」。陳謎埋怨他不關心兒子，他說：「這不是兒子一個人的事。」

這之後的若干天內，陳謎都是在戰戰兢兢和抽抽搭搭中度過的。她白天想兒子，夜裡就夢見兒子，眼邊的皺紋沒有了，代之以一片發亮的紅色。

有一天她夢見兒子被打斷了腿，哭著喊媽媽。第二天，她決心寫一封信說明兒子的情況。寫什麼呢？寫兒子只是悼念周總理，並沒個別的？不行，這豈不又是「此地無銀三百兩」？寫兒子並沒燒汽車，只是在一邊看著？也不行，看著為什麼不制止？要不，光寫兒子不懂事？還是不行，不懂事怎麼懂得反王張江姚？……再不，只寫兒子身體不好，請別打得那麼厲害？更不行，這豈不又成了明目張膽地同情？唉，可怎麼寫呢？再說，寫給誰呢？寫給毛主席？不行，怕落在江青手裡。寫給黨中央？也不行，王張江姚正得勢哪。寫給市委？唉，天安門抓人打人，市委又不是不知道……她忽然眼睛一亮，寫給法院！告那群壞蛋！但她的目光馬上又黯淡了，目前的法院似乎只管離婚，政治案件只有剛才想過的那幾個地方能管，可那又都不行。唉，怎麼辦呢？陳謎戰戰兢兢地走上涼台，望著藍色的天空，她彷彿聽見棍棒打在骨頭上的聲音，不由說道：「老天爺保

佑吧！」待她說出這句話時，不由渾身一抖，心想：「這樣的話我怎麼竟在屋子外面說出了口？要是讓別人聽了去，會說我是宣傳迷信的，會說我是妄圖復闢封建……」她急忙翹首四望，不遠處又是那個穿紅衣服的人。陳謎小而圓的臉上出現了死人般的皺紋。她急忙跑回屋裡，跑到解教授跟前，說：「哎呀哎呀，我剛才又說了一句錯話，辦了一件錯事，而且，而且肯定被人聽去，報，報告了。」一陣半身麻木頭暈目眩，她的腦血管裡又有了栓塞。

陳謎病倒了，住在醫院裡，在她神智最不清醒的時候，她也沒呼喚過兒子，因為在她的大腦裡銘刻著一個邏輯：真心話絕不可在家門以外的地方說。在她心裡最明白的時候，她也總覺得自己是住在眼科病房裡，人家要來檢查她的「見風流淚」，新帳老帳要一起算了。無論解教授怎樣安慰她，怎樣向她解釋，她都是將信將疑。

一切都在變，到了一千九百七十六年秋，似乎一切都已經變了。十月九日晚上，當解教授激動、興奮地來到醫院裡，把那個好消息——「四人幫」被逮捕了——小聲告訴陳謎的時候，她驚嚇得趕緊捂住了丈夫的嘴。只是在值班護士向她證實了這一消息的時候，她才把手從解教授的嘴上拿開，急切地要聽下文。

陳謎已經有十幾年沒撲在丈夫懷裡哭了，如今這老夫妻又重溫了一次年輕的夢。她

盡情地哭著，時而又像孩子那樣擦著眼淚微笑。

陳謎抽抽搭搭地說：「哎呀，這回可有辦法了，有辦法了，兒子出來時我也出院。穿紅衣服的……也不怕了。」

解教授緊捏著妻子的手，說：「這些日子我在偷偷地寫一篇論文，題目是《社會主義的民主與法制》。」

陳謎又有些驚慌：「你可先別，先別瞎寫什麼哪，再看看……等兒子出來，就挺好的了，可別再……」

解教授聽了，沉吟了許久，之後，不明不白地說了一句：「謎，我這輩子對不起你，不過我也是剛剛……我們有個好兒子。」

過了幾天，陳謎的身體好多了。在一個有風的下午，她出來走走。風不知從哪裡吹來了一句話，吹進了她的耳朵。她頓時驚得站住，眼睛愣愣地瞪著，嘴裡說著：「哎呀哎呀，嘖嘖嘖……」彷彿又一次徹悟了世間的一切。

陳謎戰戰兢兢地溜出醫院，戰戰兢兢地溜回家來。

「你怎麼啦？」解教授趕緊扶住歪歪斜斜撲進家門的陳謎。

她哆哆嗦嗦地關上窗戶，抽抽搭搭地說：「兒子恐怕還不是人民，我聽人說了，在

『四人幫』沒打倒之前，兒子就自由言論……唉！『四人幫』沒打倒之前，自由言論之後……恐怕兒子還是『反革命』。這之前……那之後……之前……之後……」

「之死！」解教授第一次說出了這兩個字，而且是異常氣憤地，而且是對著他的「之死夫人」。

陳謎卻充耳不聞，急著說她的：「你可別寫什麼了，把寫的燒了吧……」她衝到桌前，抓起寫滿字跡的稿紙，一看，上面竟也有「老天爺」三個字。

解教授讓她回憶一下《國際歌》，於是輕輕地唱道：「從來就沒有什麼救世主，也不靠神仙皇帝……。」然後又說：「也不靠老天爺。」

陳謎「啊！」地驚叫一聲，向後倒去。

解教授抱住她的時候，她的目光正在黯淡下去，黯淡下去……「老天爺！」她喃喃地說，目光最後一閃，又像是希望著什麼。

「之死夫人」帶著她那膽小而混沌的靈魂死去了。「之死先生」再生了。解教授要用勇敢去捍衛誠實，要用民主和法制去捍衛真理。

死去的妻和獄中的兒，消滅的妖和還魂的鬼……怎樣才能保證這一切不重演呢？——諸位看官，解教授為陳謎送葬的時候，想的就是這些。

毒藥

在很遠很遠的地方，一片浩淼無際的大水中央，有個小島。小島的地理位置極佳，冬無嚴寒，夏無酷暑，終年雨量分布均勻，時有和風攜來細雨輕飄漫灑一陣，倏而雲開天青。正如通常神話中所說，此處土地肥沃，物產豐饒，島民務農、打魚、放牧、做工，各得其所，樂業安居。因四周大水環繞，漁業便興旺，打的魚吃不完，餵貓餵狗，餵野地裡一切招人喜歡的牲口。以後便懂得把魚運往大水之外的某些地域去，可以換來各類生活用物及奢侈品。製作精美的金銀首飾只為其一。這樣，漸漸開通幾條航道，商業從而發展。

一天，當然是很久很久以前的一天，有人偶然捕得一尾怪魚，示與眾人，都說見也沒見過；又請了島上年歲最長的人和閱歷最深的人來看，都說聞所未聞。至於該魚怪到何等程度，史料未留記載，於今傳說紛紜，是萬難考證了。有的說那條魚赤若炭火，巨首肥身，長可盈尺；有的說那魚色同藍靛，身薄如紙，短不足寸；甚至有說那魚有頭無尾的，或說有尾無頭的。從萬千民間傳說中可以歸納出一條：那魚體態不俗，色澤非常。僅此而已。

先不過是出於好奇，那人將怪魚放在盆中餵養，又憐其孤單，捉一尾俗魚與之為伴。不料就有若干小魚問世。盆已嫌小，便放之於池中，小魚或「怡然不動」，或「俶而遠逝，往來翕忽」，確是好看。小魚稍大，那人仍是出於好奇，選其體態色澤均呈怪異者留下，所餘俗輩放回大水中去。怪魚便不止一尾一性，自然繁衍，又一代怪魚降生；中間竟有怪相遠過父母者。那人再把更怪者留下，其餘仍放回大水中任其游去。如是選擇淘汰，數代之後怪魚愈怪且種類亦趨繁多，有巨眼膨出者，有大腹便便者，有長尾飄然似帶者，有鱗片渾圓如珠者，有的全身斑斕璀璨，有的通體白璧無暇，或如朱如墨的，或披金掛翠的，儀態萬種，百怪千奇。此事傳開，不脛而走，便引得外域遊客聞名而來。用今天的話說，旅遊業也便興起。沿水一帶建起了旅館、客棧，又把怪魚分門

別類養在玻璃容器裡，置於廳前廳後、客房中、走廊旁，供遊客觀賞。從此小島上經濟倍加繁榮，人丁興旺，昌盛空前。島民們的生活也更豐富多彩。其時那人已近晚年，將先前之事說與後人，大家沉思良久，頗多感慨，未忘怪魚給小島之民帶來了幸福，忽然覺悟：那魚實非怪魚，確乎神魚也！這樣，每逢年節島上始有祭祀神魚的活動。隨之家家都餵起神魚，供奉如侍神祇。繼而又興神魚大賽，各人將自己培養的神魚捧出展示，互比高低。神魚的體態色澤愈新奇，主人的聲名愈好，在島上的威望和地位也愈高。此賽事有些像西班牙的鬥牛、南美洲的鬥雞、或中國的鬥蟋蟀了。賽時，倘魚種平庸，主人便極損名譽，長久難在人前拍胸昂首。為此妻離子散的也有。於是人們嘔心瀝血挖空心思以求魚兒異變，育出畸型，演成怪種。多少年多少代過去了，此賽長盛不衰，遂成風俗。島民不論男女老少，皆賽魚成癖。大賽之時旗幡蔽日，鼓樂齊鳴，萬頭躍踊，甚囂塵上。各式造型華麗的魚缸迷宮般擺開，無可數計的神魚在其中時沉時浮，雖再難「倏而遠逝，往來翕忽」，卻獨能翩翩而舞弄姿作態。奇異的品類層出不窮，煌煌然各顯神通。小島神魚名傳遐邇，來島上觀魚的遊客更是絡繹不絕了。

以上所述全是過去的事了，遠的一兩千年了，近的距今也有五六十載。倘無旁的辦法，我們的故事還是以不久前的一天算為確鑿的開始吧，這樣講起來省些事。

不久前的一天，夜裡，星光燦爛皓月當空，小島四周微風細浪萬頃波光。一葉小舟，自遠而近，悄然靠了岸邊。不待船身停穩，便從艙中跳下一位老人，踉踉蹌蹌急奔幾步，五體投地撲倒在沙灘上。許久再無動靜。月漸朦朧，風漸停歇，水拍船幫發出輕響，老人仍是無聲無息。月又輝輝，風又颯颯，老人這才慢慢爬起來，仰俯天地，又嘆息一回，然後謝過船家，拎起一只小箱，踏著月光向島上走去。老人穿著極普通，相貌也極平常，只是雖滿頭白髮動作卻敏捷，步履輕盈。他隨便找了家旅館住下。客房中陳設不俗，照例都有一只魚缸，缸中幾條神魚，有頭的搖頭有尾的擺尾，一律呆然若盼，憨態可掬。老人看了一會，熄了燈，解帶寬衣倒頭睡去，須臾鼾聲大作。

一宿無話。

天光大亮時，這老人出現在島中心的街道上，時而匆匆疾行，時而停步環望，時而在路邊的貨攤前買些島上極常見的食品邊走邊吃，又不斷地停下來，向路人打聽些什麼。近午時分，老人登上了小島南端的荒山。這山險峻，近乎拔地而起，是全島的最高點。山上樹木蔥籠，怪石嶙峋，禽啼獸吼不絕於耳，茂草繁花不絕於目。只是不見人家。接近山頂時，老人邊走邊喊起來，喊著一個人的名字。泉聲叮咚，雲繚霧繞，山道

崎嶇，路轉峰回。不久，密林深處有人回話了，是——誰——呀——？遠遠的，銀鈴般清朗。老人尋聲走去，見一男一女兩個兒童在林間遊戲。男孩攀在一棵樹上輕聲歌唱。女孩坐在草叢中專心編著一只花環。男孩摘了野果擲那女孩。女孩毫不理會，只顧自己手中的花環，一邊也輕輕哼唱。一隻小狗見有生人來，就大喊大叫。女孩趕忙把狗摟在懷裡，男孩在樹上問：是你喊我太爺爺嗎？老人就又說了一遍那個名字。兩個孩子齊聲說，那就是他們的太爺爺。老人惟恐弄錯，又問一句：你們的太爺爺可是大夫？孩子回答說不是，又說：我們的太爺爺是專門給人治病的。老人笑笑，便知道他的老朋友還活著。兩個孩子就在前面蹦蹦跳跳地走，還有那隻狗。老人在後面跟著。走了一陣，來到一座小院前，石頭圍成的院牆高不過人，茅屋三間，柴門虛掩。兩個孩子推門跑進去，喊著：太爺爺，有人找你！老人也走進門，身上發一些顫抖，見院裡依然晾滿了草藥。

一會，男孩子從屋裡跑出來，對那老人說：我太爺爺說，你們要是想搜查就隨便搜查。說完，男孩子又跑回屋裡，屋裡有嚓嚓的鍘草藥的聲音。

還認得我麼，兄弟？老人說。

老大夫也是鬚髮全白了。他停下手中的鍘刀，撣撣身上的草末子，讓那兩個孩子仍

到林子裡去玩。

兄弟，你認不出我了吧？

你們的人常來，我記不住誰是誰。老大夫說話時，目光追隨著那兩個手挽手跑出院去的孩子。

老人莫名其妙地站著。

孩子不是已經告訴你了？屋裡屋外你都可以隨意搜查，看看是不是都是挺好的藥。

你是不是弄錯了？我昨天夜裡才到這島上。

老大夫笑笑。你裝得就算不錯了，不過還是能聽出這島上的口音。

我幹嘛要裝呢？我是這島上的人，不過離開這島已經好幾十年了。我昨天夜裡才回來。

老大夫這才正眼打量那老人。老人湊近些，讓他仔細端詳，同時激動地看著他的眼睛。老大夫的眼睛渾濁一片了。

像是有些面熟，老大夫說。

老人就說出自己的名字。

老大夫又開始鍘草藥，刀起刀落草末橫飛。

老人提醒他。六十年前，這島上有個和你同歲的年輕人，因為在神魚大賽上屢屢名落孫山，苦悶之極就想去死。這事你還記得嗎？

我在這島上活了九十年了，這樣的人我見得多了。

我說的這個人住在島東。島東住的都是養不出好魚的人，都是些幾代幾十代也沒人在神魚大賽上露過臉的人家。他們都住在島東，是些讓人看不起的人。

你說的這些不算是新聞。

我沒想說什麼新聞。

現在島東和島西可是倒了個兒了。

是嗎？那可是怎麼鬧的？六十年前島上有四戶養魚養得最好的人家，都住在島西，人稱魚仙、魚聖、魚帝、魚王的四家。能養出好魚的人都住在島西，讓人敬仰的人都住在島西。

你提這些幹什麼？這不是什麼秘密。

我知道這不是秘密，我對秘密不感興趣。

老大夫不緊不慢地鍘著草藥。老人看看這三間屋子，一張桌子和幾張凳子，一張大床和兩張小床，之外就全是草藥。老人撿了一塊甘草放在嘴裡嚼。

這事與我無關。老大夫說，那四戶人家不能生養，斷了後，家業就完了，這事與我無關。

你幹嘛總認為我是來調查什麼的呢？

不是一直在調查嗎，你們？

我們？我就一個人，昨天夜裡才來。

來幹什麼？

老人半晌無言。然後才又說：我沒想到你已經不記得六十年前那件事了。我以為你不可能忘了他。他那時還年輕，立志要養出不同尋常的好魚來，住到島西去……

這樣的人我見得太多了。

他沒有兄弟姐妹。父母年輕時一心想養出好魚來，沒功夫生孩子，四十幾歲時相信自己不是能養出好魚的人，這才有了他。父母又把希望全寄託在他身上，讓他從小跟魚打得火熱。

老大夫再度停了鍘刀，注意聽那老人說。

想起他來了？老人問。

沒有，老大夫說。老大夫心裡想著別的事。

他就從小跟那些魚打得火熱。十幾歲上，他確實弄成過幾條不壞的魚，但畢竟還都是俗種。不過，由此他相信了自己前途無限。父母和鄰居們也都這麼說，說他沒錯兒肯定是那種能養出好魚的人。以後他果真又弄出了幾條不錯的魚。自負加上年輕氣盛，他發誓十年之內至少先要超過魚帝和魚王那兩家，否則就不算是他，也不娶親。

後來呢？

後來？你還記不記得有天夜裡他去找你？人已經是虛弱得不行，失眠、貧血，心臟也不好又沒有食慾，就算當時還沒瘋再那麼活下去也早晚是個瘋。幸虧他還知道死是種解脫，比瘋了好受。別人都勸他好歹活下去，說不定還有養出好魚來的日子。只有你理解他，現在看來，你是摸準了他的症結。

老大夫說：這島上所有的病，都是因為又想養出好魚來，又都怕死。

我那時可是不怕。

你是個走運的。

我恨不能立刻死了去。我弄了十年，起早貪黑含辛茹苦，十年！再沒弄成一條好魚。我還是住在島東，甚至在島東也讓人看不起了，說我沒錯兒肯定是再弄不成好魚的

人了。死是什麼？是一切都不存在，一切一切都不存在，都沒有。

我不記得你，老大夫說。

你不記得那夜我去求你？我想死，可我害怕上吊、跳崖、抹脖子、躺到車輪子底下去或者淹死，我知道你有一種藥，河豚毒製成的藥，比氰化物還毒幾十倍，吃了沒有絲毫痛苦一切就都不存在了……

我從來沒有那玩藝兒！我的藥都是好藥！

你懂得我，你就把那藥給了我兩粒。

胡說！我沒有那種藥，我也沒給過你什麼！

你不願意看著我發瘋，不是嗎？你不忍心看著我瘋夠了再一點一點地死去，這事你忘了？

你隨便瘋吧，愛怎麼瘋就怎麼瘋吧，我從來就不認識你。

你幹嘛不願意認我？

老大夫不再理睬他，又開始埋頭鍘草藥。

你不必擔心，實際上那兩粒藥可以說不是你給我的，事實上也是我自己偷著拿走的。你當初那麼理解我，你把放那藥的保險櫃打開，裝作一時疏忽忘了鎖上，然後我們

就喝酒，後來你喝醉了就睡著了，是我自己在沒得到你允許的情況下，把那藥偷偷拿走不辭而別的。

老大夫頭也不抬。我沒有喝醉過。

我是說六十年前那一回。

我九個年中沒喝過一滴酒。你們願意搜查，就屋裡屋外都搜查搜查吧。

島上出了什麼事？你幹嘛總認定我是來搜查的？

島上出了什麼事你比我清楚。你們不是認定，是因為我給島上的人都吃了壞藥嗎？

我說過了，我一個人昨天夜裡才回來。

這時候那兩個孩子回來了，男孩提著滿滿一籃野果，女孩頭戴一只鮮花編成的花環，打打鬧鬧蹦跳著進屋，撲到他們太爺爺的懷裡。

你不打算搜查了？

不。我也不是幹搜查的。

那好，時間不早了。

老大夫說完便與兩個孩子去玩了。只有那隻小狗警惕地盯著老人。

老人回到旅館，悶悶不樂，便早早躺下，又不由得回味白天的事，愈發覺出那老友的談吐蹊蹺，輾轉反側，一宿未能睡得踏實。翌日，晨光熹微時，老人起身，到島上去逛。灑水車響著鈴聲開過，薄霧中，有清潔工人打掃街道。四周大水上漁帆點點，時而有汽笛聲順著水面悠悠揚揚傳到島上。不久，晨霧散盡，所有的商店就都開了門，有些老年店員立於門前迎候顧客，櫥窗裡貨架上滿目琳琅。又有小攤販在路旁挑起招牌，或賣衣物，或售吃食，鼓其如簧之舌招徠買主。街上男人女人熙來攘往，車流人流如湧如潮。一切都很正常。到處可見新建成的和正在建的高樓大廈聳入雲端，吊車的長臂舉在朝陽裡。老人從島的一端走到另一端，尋找他當年的住所，然而不見，那片民房早已拆除改為露天廣場了。廣場寬闊無比且裝修得極其講究，大理石鋪成的地面，玉砌雕欄萬轉千回，條條甬道縱橫交錯把廣場分割得如同迷宮，中間一根旗杆獨豎，周圍無數華燈林立。正是為賽魚用的場所。老人又尋找他曾經在那兒讀過書的小學校，那小學校也已改為賽魚場了，無論規模和氣派都不亞於前者。這樣的賽魚場島上很多。

下午，老人又來到島南的荒山上，找那老大夫。這回他換了一種談話方式。

老人說：上回大概是我弄錯了。

老大夫說：肯定是你弄錯了。

弄錯什麼了呀？兩個孩子問。

老大夫就又讓孩子到林子裡去玩了。

看來那個人不是你。你不是那個人。

當然不是。我從來沒有過那種藥，更別說給過誰了。

我在這島上再不認識別人。既然咱們認識了，我想不妨交個朋友吧？咱們又都是這麼大歲數的人了。

那可真是件挺難得的事，老大夫說。老大夫也比上一回隨和，且不時露出笑容，依然鍘那些草藥。

你還是老跟這些藥打交道。

完全是出於習慣，其實一點用都沒有了。不知道還為什麼。就像那些養魚的人一樣，完全是因為習慣。

島上又快要賽魚了吧？

現在是半月一小賽，每月一大賽，沒完沒了啦。

魚呢？魚都怎麼樣？

無奇不有，肯定超過你的想像去。有一種連眼珠也是白色的魚，其實那不過是白化

病。弄成這魚的人一下子就成了名。

現在的魚仙、魚聖、魚帝、魚王都是誰？

說不準，今天是他，明天就是別人。有回大賽上，一個老太太弄出一條一動都不會動的魚來，那魚的樣子倒不稀奇，卻能發出一種聲音，叮叮噹噹咿咿呀呀的，像一只八音盒那樣唱一首讚美歌。那老太太弄了一輩子才弄出這麼一條好魚來。

六個年前我就知道能弄出這樣的好魚來。可是我拚死拚活沒弄出來，那時我真想死。你知道一生一世讓人看不起的滋味有多難受。後來你給了我那兩粒毒藥……

不是我。嗯？給你那藥的人不是我。

對對，不是你。

也不見得是在這個島上吧？

啊？哦，對對，不是。不是在這個島上。也不是六十年前，是更早的時候。對了，也不是我，是我聽說過的一個人。這個人想死，有天夜裡他得到了兩粒毒藥，是那種一沾舌頭立刻就能舒舒服服死去的藥。他喝得醉醺醺的，來到島邊的沙灘上，心想，只要這麼把藥往嘴裡一扔，就勢往大水裡一滾，一切煩心的事就都結束。落潮時，大水將把他的屍體也帶走。這個世界上就不再有他，就像他也不曾有過這個世界。這個世界有權

否決他，他呢？也握住對這個世界的否決權了。這樣一想，他立刻覺出通體輕鬆。再看看手裡的藥丸，知道以後無論什麼時候，無論碰上什麼倒運的局面，都可以輕易就把它們否決掉，只消把那兩粒否決權往嘴裡這麼一扔。他長呼一口氣，放心了，心靜得如同那無邊無際的大水和天空。既然如此又何必這麼急著去死呢？他躺在岸邊想了大半宿，天快亮時便偷了一只小船向大水彼岸划去。他邊划邊對自己說，就當是我已經死了，那麼到別處去逛逛看看又有什麼不好？再說他也必須得離開這個島，再在這島上呆下去他還是得瘋，天一亮就會有無數輕蔑的目光向他投來，提醒或者暗示：你是一個折騰了十年也養不出好魚的人，你是一個三四十歲也沒養出好魚來的人。他必須離開這個島的原因還有兩個：一是怕給了他否決權的那個大夫再把那兩粒藥收回去，那可真就糟透了；再有就是，他不能連累那個大夫，死是自己的事，可別人會認為是那個大夫把他害了，當然不能恩將仇報。所以我沒死，你給我的那兩粒藥我把它裝在貼身的衣兜裡，上了一只小船，然後就使勁划……

這樣的事我頭回聽說。給了你藥的那個人不是我。嗯？

老人呆愣片刻。是的，不是你。也不是在這個島上，是另外一個島。也不是我，是我聽說過的一個人。我是在一個小車站上等車的時候聽一個我不認識的人說的，我也沒

地方去找他了，也不知道他的姓名。

這就對了，老大夫說。

我聽說的這個人上了一只小船，划了七七四十九天，到了大水以外的地方……

我們不妨說點別的吧。

別的？別的什麼？行啊。

你來這島上兩天了，有什麼特殊的感覺嗎？

特殊的感覺？你指什麼？

譬如說，發現了什麼不一般的事沒有？

什麼不一般的事？我沒看出來。

老大夫遲疑一陣。也許什麼事都沒有吧，那當然是再好不過了。

到底出了什麼事？你何妨跟我說說？咱們是多年的老朋友了。

咱們是昨天才認識的，你又弄錯了。

是。我前天夜裡才到這島上來。

現在這島上的魚，奇奇怪怪的種類更多了。

我在旅館裡見到一種沒有眼睛的魚。

說是這麼說，其實只是在一般該有眼睛的部位沒有眼睛可是每個鱗片下面都有一只眼睛。這你大概沒留神吧?你知道弄出這樣的魚來有多麼不容易。

我知道。我早就料到完全可以弄出這樣的好魚來，只是我自己怎麼也沒弄成。弄成這魚的人可是下了苦功夫，多少年來就沒睡過一宿整覺。你知道，母魚甩子的時候要是沒人看著，母魚會把魚子全吃光。等魚子變成小魚後，你還得隨時留神著。億萬條小魚中未必能有一條具備繼續培養的價值，你不能放過了，一旦放過，多少年的心血就全白費了。你得一條一條地仔細觀察。也許只有在夜裡的某一時刻，才會有一條魚顯露出奇異的稟賦。你想，一個人還能有多少時間睡覺呢?

這樣的苦，沒有人比我知道得更清楚了。我那時，哦，我聽說過的那個人就是這麼白費了多少年辛苦，也許他曾經是放過了幾次機會吧。後來他划著小船到了大水以外的地方，再不跟魚打交道了。可是他什麼別的本事都沒有，什麼別的事都不能幹。那個地方的人不在乎誰能不能養出好魚來。魚在那兒就是魚罷了，可以吃，也可以看。無論什麼魚，只要是活蹦亂跳的就都被認為是好魚。可那地方對什麼事都不能幹的人還是看不起。你想，我聽說的這個人怎麼受得了?他覺得自己簡直是個混蛋，甚至連混蛋都不是，什麼都不是。他就又拿出那兩粒藥來……

你知道上回大賽上，魚仙的交椅誰坐了？

誰坐了？

島東的一個老頭兒。他弄成了一條大魚，有幾尺長，渾身疙裡疙瘩的像是穿了盔甲。其實是一堆肉瘤，瘤子有紅的有藍的，因為裡頭有豐富的動脈和靜脈。這種瘤子割是不能割的。

那樣會弄壞整個循環系統，對吧？

對了。這魚本身並不大，那些瘤子佔了三分之二還要多。

我聽說的那個人那時又想死了，可拿出那兩粒藥來看看，心裡便又覺輕鬆了許多，就又對自己說：只當是我已經把這藥扔進嘴裡了，可不是嗎？把這藥扔進嘴裡還不容易嗎？只當我已經死了，什麼都感覺不到了，幹嘛不再試試幹點什麼呢？他就又把藥收起來，你猜他怎麼著？

嗯。

他在那兒找了個打掃廁所的差事幹。

那魚很能吃，吃肉，那些瘤子需要足夠的蛋白質和脂肪來養著。

那差事他一幹就是好幾年，幹得挺平靜。大夥都說他幹得不壞。這樣過了好幾年，

他才想起自己還沒有老婆。

那老頭兒和他老伴兒長年不斷地給那條魚餵肉。一分鐘也不能間斷，一斷了肉那些瘤子就都癟下去，再不那麼五顏六色的引人注目了。老太太白天餵，老頭兒夜裡餵。老頭兒白天還要出去掙錢，你想，還有什麼時間睡覺呢？

很苦，這我知道。不過要真能弄成這樣的好魚，讓我想，那老頭兒一定還是挺著迷的。

著迷得都像中了邪。你知道他們怎麼弄那些魚？島上所有的人都是怎麼弄那些魚？

嗯。怎麼弄？

不管什麼新鮮玩藝兒都給魚吃一點。譬如辣椒、醋、花椒水什麼的。

這我倒是沒想到過。說不定有點用？

無非是刺激刺激那些魚，看能不能出現什麼異變。後來又都在魚缸或魚池裡兌點化學製劑，有些魚居然還能活著，可再生出的小魚就什麼模樣的都有了，三頭六臂的、無尾無鰭的、沒有眼睛的。這是很費神的事。尤其是硫酸和升汞什麼的，比例要掌握得合適，多兌了魚就全死，少了又變不出好魚來。

我聽說的那個人，以前是為了魚，一直沒有想過娶親……

升汞和硫酸什麼的都兌得合適了，就得晝夜監視著那些魚。一旦發現有變了模樣的魚，趕緊就撈出來放到清水裡去，撈晚了又要死，撈早了又要變回到原樣去，所以一刻不能大意。你想，這還有時間睡覺嗎？

可不是嗎，要想弄出好魚來可不是玩的。那個人到了大水彼岸，幹了幾年掃廁所的差事，心想應該結婚了……

後來又有人給魚吃點別的玩藝兒，機器油、凡士林、炭黑、鉛粉什麼的，這辦法要安全一點。有個人就這麼弄成了一群奇怪的魚，每條魚身側都多長了一根細長的軟骨。那人對著它們說點什麼，它們就都把那根軟骨緩緩地高舉起來。那人坐了幾年魚帝的交椅。不過你得不斷對它們說點什麼，否則它們就會把那本事給忘了。你說這人還能有多少覺可睡？

心想該結婚了，他這才發現自己只不過是個掃廁所的。「是個掃廁所的」和「只不過是個掃廁所的」，這可不一樣。他在彼岸待了好幾年，才明白哪兒都不是天堂。那時他已經四十歲了，再學什麼也怕來不及了，思量還是不如死了的好。可是他有那兩粒藥哇，就揣在貼身的衣兜裡呀，著什麼急呢？不就是這麼往嘴裡一扔的事嗎？先試著學學別的吧，學不成再去死也不晚不是嗎……

近來全島的人又都瘋了似地到處找古錢、碎陶片、獸骨化石、遠古的土和石頭，找到了就研成細粉，調好了給魚吃。聽說已經有一種沒有尾巴的魚給弄來了。聽說還有一種沒有頭也沒有肉的魚給弄出來了，光是一根篦子一樣的骨頭在水裡跳。我也還沒見到呢。那些陶片、化石什麼的很難找。你說，沒日沒夜地找，沒日沒夜地研磨，什麼功夫睡覺呢？

是不是有人到你這兒來找過什麼藥給魚吃？

沒有，那倒沒有。我沒有格外的藥。他們要找的是稀奇古怪的東西，給魚吃。

那你幹嘛總那麼擔驚受怕似的？

我？我擔驚受怕？我這麼大歲數了還有什麼可怕的。

你幹嘛總覺得有人要到你這兒來搜查呢？

噢——，那不是因為魚。你懂嗎？他們不是懷疑我給魚吃了什麼壞藥。他們知道我從來不擺弄那些魚。他們是為了別的事。

什麼事？

哼，等著看吧。

島上到底發生了什麼？

你一點都沒看出來？

老人搖搖頭，盯著老大夫的眼睛。老大夫又垂下眼睛，仍是不停地鍘那些草藥。

你不妨再注意一下。我倒是希望沒那麼回事呢。

老人告辭出來的時候，看見那兩個孩子還在林間的草地上玩耍。他沒有驚動他們。那隻小狗尾隨在他身後把他送出很遠，搖著尾巴似乎不再對他有敵意。老人站在山腰朝下望，小島景象盡收眼底，嗡嗡隆隆市聲喧囂，處處顯露著繁榮。太陽正要落山，全島都被晚霞的紅光照耀得燦爛。

島上處處張燈結彩，無論是商店、旅館，還是機關、工廠。主要街道的兩旁都擺上了鮮花，擺成各種圖案，擺成花塔，擺成花山和花海。香氣撲鼻，醉人。各個賽魚場上都已是旗幡招展，各色彩旗星羅棋布，場中央一條長幡上繡了魚形標誌，隨風飄舞。看來大賽將近了。每個賽場上都有幾十個上了歲數的管理人員在忙，費力地把一條紅色的長毯在大理石地面上鋪開，哼哼咳咳地喊。那地毯猩紅奪目，有上百米長，一直鋪上獲獎台。獲獎台在幾十層台階之上，鑲金嵌玉如宮殿般輝煌，氣派威嚴。樂隊正在排練，

從各處角落裡發出輕響。時而有些斷了線索的彩色汽球過早地飛上了天空。

街上的行人都在談論魚賽的事，回憶著上回的賽況，預測這一次的四把交椅可能誰屬，遺憾著自己的魚種目前尚難驚人，又互相打探有關新奇魚種的消息。一律興致勃勃，談笑風生，神采飛揚。

老人在島上逛，走遍大街小巷，實在也看不出有什麼異常。老人走得累了，便在近水處的一塊岩石上坐下歇歇，吃點東西。於是困上來，他就躺在沙灘上，頭枕岩石。

晚霞消失時，大水又漲了。

夜色彌漫開。

老人迷迷糊糊做了個夢。不知道為什麼又夢見了兩個孩子和那隻小狗。兩個孩子在他身邊跳來跳去，管他叫太爺爺，摸摸他的眉毛揪揪他的鬍子，唱那支他在孩提時便熟悉的歌……

忽然，島上像是亮徹了一道閃電或是起爆了一座火山，那亮光帶著轟響把小島震了一下，把小島乃至小島的天空和四周的水面都點燃了一般。老人驚醒，凝神細看，原來是幾個賽場上的千萬盞華燈一齊亮了。這沒什麼奇怪，不過是在試燈光。那轟響也不過是人們興奮的歡呼聲。老人打了幾個哈欠，又呆愣著想一遍剛才的夢，倒覺得這夢中似

有奧妙。想了一陣想不清楚，老人便站起來走動走動。

不久又有悶悶的炮聲，又有歌聲舞聲，又有鑼聲鼓聲，又有號角聲，又有口哨聲和吶喊聲……這都沒有什麼奇怪，多少年前每逢大賽將臨也是如此，人們在為大賽做著準備罷了。

老人這一宿沒有回旅館去，調動起所有的視覺，聽覺，嗅覺，注意島上的一切。半夜，華燈熄滅，炮聲也早停歇，島上顯出寂靜。老人獨自走街串巷，貓一樣輕捷機警。家家都閉了門。家家又都黑了燈。家家也都沒了人聲。路燈也似暗淡了。夜裡氣溫下降了不少。老人坐在一棵樹下正有些冷，冷得有些無聊，忽聞一種奇異的聲音從四周漫起，始而細碎微弱，繼而唧唧咕咕嗡嗡嚶嚶便覺清晰，漸漸連成一片變得響亮。這卻稀罕。老人起身躡手躡腳到一家門前，耳朵貼近門縫細聽時，院裡果然就有那聲音。他再扒著門縫往裡看，一支火燭搖搖跳跳照見一對老夫婦木訥的臉。中間一只魚缸，老夫婦分左右面缸而跪，正給神魚餵食。那聲音不過是他們喊喊嚓嚓的低語罷了，或者也有神魚吃食弄出的響動。他又扒著門縫看了幾家，也都不過如此。惟人數不同，有的是一家幾口念念有詞如同祈禱，有的是孤身一人自言自語彷彿發願，都同等虔誠木訥且有章法地小心翼翼餵那神魚。老人暗自慨嘆：自己離家多年，竟連這麼熟悉的事也忘卻。心中

淒楚，不免潸然淚下，遂又安慰自己：六千年前還不是這樣，弄魚弄到這般著迷的人還不多，聲音也不似這般響。

直到星稀月落天色微明，他也沒覺察出島上有半點不同尋常的現象。老人又爬上島南的荒山。

一進門老人就說：兄弟，怕是你自己的神經出了什麼毛病吧。

你還是什麼都沒看出來？老大夫說。

老大夫已經早早起來鍘那些草藥了。兩個孩子坐在院當中捧了碗吃早飯，一邊餵那隻小狗。小院靜謐安詳，四周鳥語蟲鳴，山上的空氣清涼且有樹脂的香味，陽光在樹隙間把霧氣染得金亮。連老人的鍘草藥聲、兩個孩子的吃飯聲、小狗的喝水聲都能傳出很遠去。

還是沒看出來。當然沒看出來，因為一切都很正常。我怕是你自己倒不正常。

老大夫笑笑，不以為然。

你別笑，實際上我頭一回來你就認出我了，可你為什麼不肯認我？

我確實不認識你。

看看吧，就是這兩粒藥，六十年前的那天夜裡你給我的。老人從懷裡掏出一個小瓶，倒出兩粒白色的藥丸給老大夫看。

老大夫看也不看就說：這藥不是我給你的。

你何必這樣呢？你的疑心太重了，弄得自己的精神都不太正常。事實上沒人來搜查你，島上任何不正常的事也沒出。

老大夫招呼兩個孩子快吃，吃罷飯就到樹林裡去。

我把這兩粒藥帶回來是想還給你的。是想告訴你，是你這兩粒藥救了我。我得感謝你。

那不是我，也不是在這個島上，不是嗎？也不是你，是你聽說過的一個人。不是嗎？

不是。就是你，也就是我，而且肯定是在這個島上。後來我划著小船到了彼岸。上回我說到哪兒了？

說到你忽然想結婚了。

不錯。可是我四十歲了，除去掃廁所再沒有別的本事。那地方也絕不是天堂，人們還是不大看得起掃廁所的。你信嗎？只要有差別，就不可能有徹底的平等。我就又想

死。我就又拿出這兩粒藥來，喝足了酒想藉著醉勁兒把這藥吞下去。死真不是件絕對的壞事，你想想，只要有那麼一點勇氣，你就可以和所有的人都平等了。不是嗎？所有的人都得死，不管你是什麼了不起的人物，死了，爛了，變作塵埃飛散了，化成輕煙不見了，就全一樣了，誰也不會看不起你了，你也不必看不起誰了，這麼想著，我又鎮靜下來。

你幹嘛不弄弄魚呢？

我要是弄魚，說實在的，憑我這兩手在那地方沒人比得了。可那地方的人不太關心魚，認為一切魚既然生出來了，就都是好魚。

老大夫點點頭。後來呢？

哦，我就又活下去，學了幾年木工，學得挺一般。後來又學了幾年打鐵和裁縫，都學得很一般，對了，我忘了告訴你，在這期間我結了婚。老婆比我小十歲，也曾經中了魔障似的光想死。我頭一回見到她是在水邊的懸崖上。我看出她想往下跳可又不敢，就走過去對她說，你可著的什麼急？她就哭，說自己活在世上算個什麼東西。我說，能這麼想就好了。我就把那兩粒藥拿出來，給她講了那藥的作用。她說她真想要一粒。我就分給她一粒。她說，那你還夠嗎？我說這樣咱們倆就都夠了。她就要吃。我說，你再想

想，也許不用這麼著急。她想了一陣子，問我，這藥會不會失效。我說只要拿到了就永遠有效。她又仔細看一遍那粒藥，問我是不是肯定沒騙她。我說這可怎麼證明呢？現在我們都只有一粒了，沒辦法證明。她又問我，是不是對所有的人都有效。我說這也沒辦法證明，不過對已經死了的人肯定無效。她於是放了心，同意跟我回家去，作我的老婆。

這時島上響起沉悶的炮聲。

魚賽快開始了？

是呀，又要開始了。

我實在看不出有什麼不正常。

往下說吧。後來呢？

我們夫妻倆先開了個小雜貨店，以後又做了些別的買賣，再以後又學了些別的手藝，總之，五行八作差不多樣樣都幹過。仍不免常常慚愧、自卑，到底弄不清自己算個什麼東西。想到死時就記起那兩粒藥，互相提醒，那兩粒藥不是穩穩當當揣在我們的懷裡嘛。這樣愈來愈活得平靜，不去想自己算個什麼還是不算個什麼，自己想幹什麼就幹什麼，能幹什麼就幹什麼，願意出去跑一陣便跑一陣，願意扯開嗓子唱一陣便唱一陣，

願意讀點什麼或寫點什麼就讀點什麼寫點什麼。忽然有一天，我發現我已經九十歲了，她呢，八十了，這才意識到我們很久很久沒提起那兩粒藥了，知道再也用不著它。

你們有沒有孩子？

當然有。

有孫子嗎？

有。

是不是連重孫子也有了？

也有了。

老大夫鬆了氣，不住點頭。

怎麼了？

老大夫不回答，默默盤算一回。

直到炮聲一陣響似一陣。

你這是怎麼了？老人問。

老大夫說：兄弟我求你件事行不？把我身邊這兩個孩子帶走。

出了什麼事？

帶他們離開這個島，到大水以外的地方去。今天就走，現在就走。

島上到底發生了什麼？

你來這島上三天了，除去在我這兒，還在哪兒看見過孩子？

老人幡然醒悟。

這兩個孩子是島上最後的孩子了。不孕症在這島上流行多年了，島上沒人再能生養。

你也治不了？

他們懷疑是因為我給島上的人都吃了壞藥，沒人敢來找我看病了。就這樣吧，我留下來再試試，就把這兩個孩子託付給你了。

老人帶了兩個孩子從山後小路下到岸邊，早有一只小船橫在那裡。三人上船，砍斷纜繩。

其時，島上號炮聲聲不斷，鼓樂喧喧不息，甚囂，且塵上。

那老大夫立於荒山之頂，向他們揮手告別。

小船漸行漸遠。不久聽見船側有嗤嗤喘息聲，原來那隻小狗泭水追來。兩個孩子摟住小狗便有些淒然。老人想起那兩粒藥忘記還給老友，取出再看，連連嘆息。兩個孩子見了藥丸，每人搶過一粒放在嘴裡。老人驚時，卻見孩子嚼得香甜，嚼了一會，吐出一塊白色膠狀物，放在嘴上吹成泡泡，泡泡爆響，清脆悅耳。

再看小島，早無蹤影，唯餘一片茫茫大水。

我的遙遠的清平灣

北方的黃牛一般分為蒙古牛和華北牛。華北牛中要數秦川牛和南陽牛最好，個兒大，肩峰很高，勁兒足。華北牛和蒙古牛雜交的牛更漂亮，犄角向前彎去，頂架也厲害，而且皮實、好養。對北方的黃牛，我多少懂一點。這麼說吧：現在要是有誰想買牛，我擔保能給他挑頭好的。看體形，看牙口，看精神兒，這誰都知道；光憑這些也許能挑到一頭不壞的，可未必能挑到一頭真正的好牛。關鍵是得看脾氣。拿根鞭子，一甩，「嗖」的一聲，好牛就會瞪圓了眼睛，左蹦右跳。這樣的牛幹起活來下死勁，走得歡。疲牛呢？聽見鞭子響準是把腰往下一塌，閉一下眼睛，忍了。這樣的牛，別要。

我插隊的時候餵過兩年牛，那是在陝北的一個小山村兒——清平灣。

我們那個地方雖然也還算是黃土高原，卻只有黃土，見不到真正的平坦的塬地了。由於洪水年年吞噬，塬地總在塌方，順著溝、渠、小河，流進了黃河。從洛川再往北，全是一座座黃的山峁或一道道黃的山梁，綿延不斷。樹很少，少到哪座山上有幾棵什麼樹，老鄉們都記得清清楚楚；只有打新窯或是做棺木的時候，才放倒一兩棵。碗口粗的柏樹就稀罕得不得了。要是誰能做上一口薄柏木板的棺材，大夥兒就都佩服，方圓幾十里內都會傳開。

在山上攔牛的時候，我常想，要是那一座座黃土山都是穀堆、麥垛，山坡上的胡蒿和溝壑裡的狼牙刺都是柏樹林，就好了。和我一起攔牛的老漢總是「唏溜唏溜」地抽著旱煙，笑笑，說：「那可就一股勁兒吃白饃饃了。老漢兒家、老婆兒家都睡一口好材。」和我一起攔牛的老漢姓白。陝北話裡，「白」發「破」的音，我們都管他叫「破老漢」。

也許還因為他窮吧，英語中的「Poor」就是「窮」的意思。或者還因為別的：那幾顆零零碎碎的牙，那幾根稀稀拉拉的鬍子，尤其是他的嗓子——他愛唱，可嗓子像破鑼。傍晚趕著牛回村的時候，最後一縷陽光照在崖畔上，紅的。破老漢用鐝把挑起一捆

柴，扛著，一路走一路唱：「崖畔上開花崖畔上紅，受苦人①過得好光景……」，聲音拉得很長，雖不洪亮，但顫微微的，悠揚。碰巧了，崖頂上探出兩個小腦瓜，豎著耳朵聽一陣，跑了；可能是狐狸，也可能是野羊。不過，要想靠打獵為生可不行，野獸很少。我們那地方突出的特點是窮，窮山窮水，「好光景」永遠是「受苦人」的一種盼望。天快黑的時候，進山尋野菜的孩子們也都回村了，大的拉著小的，小的扯著更小的，每人的臂彎裡都托著個小籃兒，裝的苦菜、莧菜，或者小蒜、蘑菇……孩子們跟在牛群後面，「嘰嘰嘎嘎」地吵，爭搶著把牛糞撮回窯裡②去。

越是窮地方，農活也越重。春天播種；夏天收麥；秋天玉米、高粱、穀子都熟了，更忙；冬天打壩、修梯田，總不得閒。單說春種吧，往山上送糞全靠人挑。一擔糞六七十斤，一早上就得送四五趟；掙兩個工分，合六分錢。在北京，才夠買兩根冰棍兒的。那地方當然沒有冰棍兒，在山上幹活渴急了，什麼水都喝。天不亮，耕地的人們就扛著木犁、趕著牛上山了。太陽出來，已經耕完了幾垧地。火紅的太陽把牛和人的影子長長地印在山坡上，扶犁的後面跟著撒糞的，撒糞的後頭跟著點籽的，點籽的後頭是打土坷垃的，一行人慢慢地、有節奏地向前移動，隨著那悠長的吆牛聲。吆牛聲有時疲憊、淒婉；有時又歡快、談諧，引動一片笑聲。那情景幾乎使我忘記自己是生活在哪個世紀，

默默地想著人類遙遠而漫長的歷史。人類好像就是這麼走過來的。

清明節的時候我病倒了，腰腿疼得厲害。那時只以為是坐骨神經疼，或是腰肌勞損，沒想到會發展到現在這麼嚴重。陝北的清明前後愛刮風，天都是黃的。太陽白濛濛的。窯洞的窗紙被風沙打得「刷啦啦」響。我一個人躺在土炕上……

那天，隊長端來了一碗白饃……

陝北的風俗，清明節家家都蒸白饃，再窮也要蒸幾個。白饃被染得紅紅綠綠的，老鄉管那叫「zichui」。開始我們不知道是哪兩個字，也不知道什麼意思，跟著叫「紫錘」。後來才知道，是叫「子推」，是為了紀念春秋時期一個叫介子推的人的。破老漢說，那是個剛強的人，寧可被人燒死在山裡，也不出去做官。我沒有考證過，也不知史學家們對此作何評價。反正吃一頓白饃，清平灣的老老少少都很高興。尤其是孩子們，頭好幾天就喊著要吃子推饃饃了。春秋距今兩千多年了，陝北的文化很古老，就像黃河。譬如，陝北話中有好些很文的字眼：「喊」不說「喊」，要說「吶喊」；香菜，叫芫荽；「騙人」也不說「騙人」，叫作「玄謊」……連最沒文化的老婆兒也會用「醞釀」這詞兒。開社員會時，黑壓壓坐了一窯人，小油燈冒著黑煙，四下裡閃著煙袋鍋的紅光。支書念完了文件，喊一聲：「不敢睡！大家討論個一下！」人群中於是息了鼾聲，

不緊不慢地應著：「醞釀醞釀了再……」這「醞釀」二字使人想到那兒確是革命聖地，老鄉們還記得當年的好作風。可在我們插隊的那些年裡，「醞釀」不過是一種習慣了的口頭語罷了。鄉親們說「醞釀」的時候，心裡也明白：球事不頂！可支書讓發言，大夥總得有個說的；支書也是難，其實那些政策條文早已經定了。最後，支書再喊一聲：「同意啊不？」大夥回答：「同意——」然後回窯睡覺。

那天，隊長把一碗「子推」放在炕沿上，讓我吃。他也坐在炕沿上，「吧嗒吧嗒」地抽煙。「子推」浮頭用的是頭兩茬面，很白；裡頭都是黑面，麩子全磨了進去。隊長看著我吃，不言語。臨走時，他吹吹煙鍋兒，說：「唉！『心兒』家不容易，離家遠。」「心兒」就是孩子的意思。

隊裡再開會時，隊長提議讓我餵牛。社員們都贊成。「年輕後生家，不敢讓腰腿作下病，好好價把咱的牛餵上！」老老小小見了我都這麼說。在那個地方，擔糞、砍柴、挑水、清明磨豆腐、端午做涼粉、出麻油、打窯洞……全靠自己動手。腰腿可是勞動的本錢；唯一能夠代替人力的牛簡直是寶貝。老鄉們把餵牛這樣的機要工作交給我，我心裡很感動，嘴上卻說不出什麼。農民們不看嘴，看手。

我餵十頭，破老漢餵十頭，在同一個飼養場上。飼養場建在村子的最高處，一片平地，兩排牛棚，三眼堆放草料的破石窯。清平河水整日價「嘩嘩啦啦」的，水很淺，在村前拐了一個彎，形成了一個水潭。河灣的一邊是石崖，另一邊是一片開闊的河灘。夏天，村裡的孩子們光著屁股在河灘上折騰，往水潭裡「撲通撲通」地跳，有時候捉到一隻鱉，又笑又嚷，鬧翻了天。破老漢坐在飼養場前面的窯頂上看著，一袋接一袋地抽煙。「『心兒』家不曉得愁，」他說，然後就啞著個嗓子唱起來：「提起那家來，家有名，家住在綏德三十里鋪村……」破老漢是綏德人，年輕時打短工來到清平灣，就住下了。綏德出打短工的，出石匠，出說書的，那地方更窮。

綏德還出吹手。農曆年夕前後，坐在飼養場上，常能聽到那歡樂的嗩吶聲。那些吹手也有從米脂、佳縣來的，但多數是從綏德。他們到處串，隨便站在誰家窯前就吹上一陣。如果碰巧那家要娶媳婦，他們就被請去，「嗚哩哇啦」地吹一天，吃一天好飯。要是運氣不好，吹完了，就只能向人家要一點吃的或錢。或多或少，家家都給，破老漢尤其給得多。他說：「誰也有難下的時候。」原先，他也幹過那營生，吃是能吃飽，可是常要受凍，要是沒人請，夜裡就得住寒窯。「攬工人兒難，哎喲，攬工人兒難；正月裡上工十月裡滿，受的牛馬苦，吃的豬狗飯……」他唱著，給牛添草。破老漢一肚子歌。

小時候就知道陝北民歌。到清平灣不久，幹活歇下的時候我們就請老鄉唱，大夥都說破老漢愛唱，也唱得好。「老漢的日子熬煎咧，人愁了才唱得好山歌。」確實，陝北的民歌多年都有一種憂傷的調子。但是，一唱起來，人就快活了。有時候趕著牛出村，破老漢憋細了嗓子唱〈走西口〉：「哥哥你走西口，小妹妹也難留，手拉著哥哥的手，送哥到大門口。走路你走大路，再不要走小路，大路上人馬多，來回解憂愁……」場院上的婆姨、女子們嘻嘻哈哈地衝我嚷：「讓老漢兒唱個〈光棍哭妻〉嘛，老漢兒唱得可美！」破老漢只做沒聽見，調子一轉，唱起了〈女兒嫁〉：「一更裡叮噹響，小哥哥進了我的繡房，娘問女孩兒什麼響，西北風刮得門栓響嘛哎喲……」往下的歌詞就不宜言傳了。我和老漢趕著牛走出很遠了，還聽見婆姨、女子們在場院上罵。老漢衝我眨眨眼，撅一根柳條，趕著牛，唱一路。

破老漢只帶著個七八歲的小孫女過。那孩子小名兒叫「留小兒」。兩口人的飯常是她做。

把牛趕到山裡，正是晌午。太陽把黃土烤得發紅，要冒火似的。草叢裡不知名的小蟲子「吱——吱——」地叫。群山也顯得疲乏，無精打采地互相挨靠著。方圓十幾里內只有我和破老漢，只有我們的吆牛聲。哪兒有泉水，破老漢都知道；幾撅頭挖成一個小

土坑，一會兒坑裡就積起了水。細珠子似的小氣泡一串串地往上冒，水很小，又涼又甜。「你看下我來，我也看下你……」老漢喝口水，抹抹嘴，扯著嗓子又唱一句。不知他又想起了什麼。

夏天攔牛可不輕閒，好草都長在田邊，離莊稼很近。我們東奔西跑地吆喝著，罵著。破老漢罵牛就像罵人，爹、娘、八輩祖宗，罵得那麼親熱。稍不留神，哪個狡猾的傢伙就會偷吃了田苗。最討厭的是破老漢餵的那頭老黑牛，稱得上是「老謀深算」。牠能把野草和田苗分得一清二楚。牠假裝吃著田邊的草，慢慢接近田苗，低著頭，眼睛卻溜著我。我看著牠的時候，田苗離牠再近牠也不吃，一副廉潔奉公的樣兒；我剛一回頭，牠就趁機啃倒一棵玉米或高粱，調頭便走。我識破了牠的詭計，牠再接近田苗時，假裝不看牠，等牠確信無虞把舌頭伸向禁區之際，我才大吼一聲。老傢伙趔趔趄趄地後退，既驚慌又愧悔，那樣子倒有點可憐。

陝北的牛也是苦，有時候看著牠們累得草也不想吃，「呼哧呼哧」喘粗氣，身子都跟著晃，我真害怕牠們趴架。尤其是當那些牛爭搶著去舔地上滲出的鹽鹼的時候，真覺得造物主太不公平。我幾次想給牠們買些鹽，但自己嘴又饞，家裡寄來的錢都買雞蛋吃了。

每天晚上，我和破老漢都要在飼養場上待到十一二點，一遍遍給牛添草。草添得要勤，每次不能太多。留小兒跟在老漢身邊，寸步不離。她的小手絹裡總包兩塊紅薯或一把玉米粒。破老漢用牛吃剩下的草疙節打起一堆火，乾的「辟辟啪啪」響，濕的「吱吱」冒煙。火光照亮了飼養場，照著吃草的牛，四周的山顯得更高，黑魆魆的。留小兒把紅薯或者玉米埋在燒燼的草灰裡；如果是玉米，就得用樹枝撥來撥去，「啪」地一響，爆出了一個玉米花。那是山裡娃最好的零嘴兒了。

留小兒沒完沒了地問我北京的事。「真個是在窯裡看電影？」「不是窯，是電影院。」「前回你說是窯裡。」「噢，那是電視。一個方匣匣，和電影一樣。」她歪著頭想，大約想像不出，又問起別的。「啥時想吃肉，就吃？」「嗯。」「玄謊！」「真的。」「成天價想吃呢？」「那就成天價吃。」這些話她問過好多次了，也知道我怎麼回答，但還是問。「你說北京人都不愛吃白肉？」她覺得北京人不愛吃肥肉，很奇怪。她仰著小臉兒，望著天上的星星；北京的神祕，對她來說，不亞於那道銀河。

「山裡的娃娃什麼也解③不開，」破老漢說。破老漢是見過世面的，他三七年就入了黨，跟隊伍一直打到廣州。他常常講起廣州：霓虹燈成宿的點著、廣州人連蛇也吃、到處是高樓、樓裡有電梯……留小兒聽得覺也不睡。我說：「城裡人也不懂得農村的事

呢。」「城裡人解開個狗嗎？」留小兒問，「格格」地笑。她指的是我們剛到清平灣的時候，被狗追得滿村跑。「學生價連犍牛和生牛也解不開，」留小兒說著去摸摸正在吃草的牛，一邊數叨：「紅犍牛、猴④犍牛、花生牛……爺！老黑牛怕是難活⑤下了，不肯吃！」「它老了，熬了⑥。」老漢說。山裡的夜晚靜極了，只聽得見牛吃草的「沙沙」聲，蛐蛐叫，有時遠處還傳來狼嗥。破老漢有把破胡琴，「吱吱嘎嘎」地拉起來，唱：「一九頭上才立冬，闖王領兵下河東，幽州困住楊文廣，年太平，金花小姐領大兵……」把歷史唱了個顛三倒四。

留小兒最常問的還是天安門。「你常去天安門？」「常去。」「常能照著⑦毛主席？」「哪的來，我從來沒見過。」「咦?!他就盛⑧在天安門上，你去了會照不著？」她大概以為毛主席總站在天安門上，像畫上畫的那樣。有一回她扒在我耳邊說：「你冬裡回北京把我引上行不？」我說：「就怕你爺爺不讓。」「你跟他說說嘛，他可相信你說的了。盤纏我有。」「你哪兒來的錢？」「賣雞蛋的錢，我爺爺不要，都給了我，讓我買褂褂兒的。」「多少？」「五塊！」「不夠。」「嘻——，我哄你，看，八塊半！」她掏出個小布包，打開，有兩張一塊的，其餘全是一毛兩毛的。那些錢大半是我買了雞蛋給破老漢的。平時實在是餓得夠嗆，想解解饞，也就是買幾個雞蛋。我怎麼跟留小兒說呢？我真

想冬天回家時把她帶上。可就在那年冬天，我病厲害了。

其實，餵牛沒什麼難的，用破老漢的話說，只要勤謹，肯操心就行。餵牛，苦不重⑨，就是熬人，夜裡得起來好幾趟，一年到頭睡不成個囫圇覺。冬天，半夜從熱被窩裡爬出來的滋味可不是好受的。尤其五更天給牛拌料，牛埋下頭吃得香，我坐在牛槽邊的青石板上能睡好幾覺。破老漢在我耳邊叨嘮：黑市的糧價又漲了、合作社來了花條絨、留小兒的襖爛得露了花……我「哼哼哈哈」地應著，剛夢見全聚德的烤鴨，又忽然掉進了什剎海的冰窟窿，打個冷顫醒了，破老漢還沒嘮叨完。「要不回窯睡去吧，二次料我給你拌上，」老漢說。天上劃過一道亮光，是流星。月亮也躲進了山谷。星星和山巒，不知是誰望著誰，或者誰忘了誰。「這營生不是後生家做的，後生家正是好睡覺的時候，」破老漢說，然後「唉，唉——」地發著感慨。我又迷迷糊糊地入了夢鄉。

碰上下雨下雪，我們倆就躲進牛棚。牛棚裡淨是糞尿，連打個盹的地方也沒有。那時候我的腿和腰就總酸疼。「倒運的天！」破老漢罵，然後對我說：「北京夠咋美，偏來這山溝溝裡做什麼嘛！」「您那時候怎麼沒留在廣州？」我隨便問。他抓抓那幾根黃鬍子，用煙鍋兒在煙荷包裡不停地剜，瞪著眼睛愣半天，說：「咋！讓你把我問著了，

我也不曉球咋價日鬼的。」然後又愣半天，似乎回憶著到底是什麼原因。「唉，球毛杆不成個氈，山裡人當不成個官。」他說，「我那辰兒要是不回來，這辰兒也住上洋樓了，也把警衛員帶上了。山裡人憨著咧，只想打罷了仗就回家，哪搭兒也不勝窯裡好。球！要不，我的留小兒這辰兒還愁穿不上個條絨襖兒？」

每回家裡給我寄錢來，破老漢總嚷著讓我請他抽紙煙。「行！」我說：「『牡丹』的怎麼樣？」「唏——，『黃金葉』的就拔尖了！」「可有個條件，」我湊到他耳邊，「得給『後溝裡的』送幾根去。」「憨娃娃！」他罵。「後溝裡的」指的是住在後溝裡的一個寡婦，比破老漢小十幾歲，村裡人都知道那寡婦對破老漢不錯。老漢抽著紙煙，望著遠處。我也唱一句：「你看下我來，我也看下你……」遞給他幾根紙煙，向後溝的方向示意。他不言傳，笑咪咪地不知想著什麼。末了，他把幾根紙煙裝進煙荷包，說：「留小兒大了嫁到北京去呀！」說罷笑笑，知道那是不沾邊兒的事。

在後山上攔牛的時候，遠遠地望著後溝裡的那眼土窯洞，我問破老漢：「那婆姨怎麼樣？」「亮亮媽，人可好。」他說。我問：「那你幹嘛不跟她過？」「唏——，老了老了還……」他打岔。「算了吧！」我說：「那你夜裡常往她窯裡跑？」我其實是開玩笑。「咦！不敢瞎說！」他裝得一本正經。我詐他：「我都看見了，你還不承認！」他

不言傳了，尷尬地笑著。其實我什麼也沒看見。

破老漢望著山腳下的那眼窯洞。窯前，亮亮媽正費力地劈著一疙瘩樹根；一個男孩子幫著她劈，是亮亮。「我看你就把她娶了吧，她一個人也夠難的。再說，也就有人給你縫衣裳了。」「唉，丟下留小兒誰管？」「一搭裡過嘛！」「她的亮亮也嬌慣得危險⑩，留小兒要受氣呢。後媽總不頂親的。」「什麼後媽，留小兒得管她叫奶奶了。」「還不一樣？」山裡沒人，我們敞開了說。亮亮家的窯頂上冒起了炊煙。老漢呆呆地望著，一縷藍色的輕煙在山溝裡飄繞。小學校放學的鐘聲「噹噹」地敲響了。太陽下山了，收工的人們扛著鋤頭在暮靄中走。欄羊的也吆喝著羊群回村了，大羊喊，小羊叫「咩咩」地響成一片。老漢還是呆呆地坐著，悶悶地抽煙。他分明是心動了，可又怕對不起留小兒。留小兒的大⑪死得慘，平時誰也不敢向破老漢問起這事，據說，老漢一想起就哭，自己打自己的嘴巴。聽說，都是因為破老漢捨不得給大夫多送些禮，把兒子的病給耽誤了；其實，送個來斤米或者麵就行。那些年月啊！

秋天，在山裡攔牛簡直是一種享受。莊稼都收完了，地裡光禿禿的，山窪、溝掌裡的荒草卻長得茂盛。把牛往溝裡一轟，可以躺在溝門上睡覺；或是把牛趕上山，在下山

的路口上坐下，看書。秋山的色彩也不再那麼單調：半崖上小灌木的葉子紅了，杜梨樹的葉子黃了，酸棗棵子綴滿了珊瑚珠似的小酸棗……尤其是山坡上綻開了一叢叢野花，淡藍色的，一叢挨著一叢，霧濛濛的。灰色的小田鼠從黃土坷垃後面探頭探腦；野鴿子從懸崖上的洞裡鑽出來，「撲楞楞」飛上天；野雞「咕咕嘎嘎」地叫，時而出現在崖頂上，時而又鑽進了草叢……我很奇怪，生活那麼苦，竟然沒人捕食這些小動物。也許是因為沒有槍，也許是因為這些鳥太小也太少，不過多半還是因為別的。譬如：春天燕子飛來時，家家都把窗戶打開，希望燕子到窯裡來做窩；很多家窯裡都住著一窩燕兒，沒人傷害牠們。誰要是說燕子的肉也能吃，老鄉們就會露出驚訝的神色，瞪你一眼：「咦！燕兒嘛！」彷彿那無異於褻瀆了神靈。

種完了麥子，牛就都閒下了，我和破老漢整天在山裡攔牛。老漢不閒著，把牛趕到地方，跟我交待幾句就不見了。有時忽然見他出現在半崖上，奮力地劈砍著一棵小灌木。吃的難，燒的也難，為了一小把柴，常要爬上很高很陡的懸崖。老漢說，過去不是這樣，過去人少，山裡的好柴砍也砍不完，密密匝匝的，人也鑽不進去。老人們最懷戀的是紅軍剛到陝北的時候，打倒了地主，分了地，單幹。「才紅了」⑫那辰兒，吃也有得吃，燒也有得燒，這咋會兒，做過啦⑬！」老鄉們都這麼說。真是，「這咋會兒」，

迷信活動倒死灰復燃。有一回，傳說從黃河東來了神，有些老鄉到個幾里外的一個破廟去禱告，許願。破老漢不去。我問他為什麼，他皺著眉頭不說，又哼哼起《山丹丹開花紅艷艷》。那是才紅了那辰兒的歌。過了半天，使勁磕磕煙袋鍋，嘆了口氣：「都是那號婆姨鬧的！」「哪號？」我有點明知故問。他用煙袋指指天，搖搖頭，撇撇嘴：「那號婆姨，我一照就曉得……」如此算來，破老漢反「四人幫」要比「四．五」運動早好幾年呢！

在山裡，有那些牛作伴，即便剩我一個人也並不寂寞。我半天半天地看著那些牛，牠們的一舉一動都意味著什麼，我全懂。平時，牛不愛叫，只有奶著犢子的生牛才愛叫。太陽一偏西，奶著犢兒的生牛就急著要回村了，你要是不讓牠回，牠就「哞——哞——」地叫個不停，急得團團轉，無心再吃草。有一回，我在山窪窪裡，睡著了，醒來太陽已經挨近了山頂。我和破老漢吆起牛回村，忽然發現少了一頭。山裡常有被雨水沖成的暗洞，牛踩上就會掉下去摔壞。破老漢先也一驚，但馬上看明白了，說：「沒麻搭，牠想了兒，回去了。」我才發現，少了的是一頭奶犢兒的生牛。離村老遠，就聽見飼養場上一聲聲牛叫了，兒一聲，娘一聲，似乎一天不見，母子間有說不完的貼心話。牛不老⑭在母親肚子底下一下一下地撞，吃奶，母牛的目光充滿了溫柔、慈愛，神態那

麼滿足、平靜。我喜歡那頭母牛，喜歡那隻牛不老。我最喜歡的是一頭紅犍牛，高高的肩峰，腰長腿壯，單套也能拉得動大步犁。紅犍牛的犄角長得好，又粗又長，向前彎去；幾次碰上鄰村的牛群，牠都把對方的首領頂得敗陣而逃。我總是多給牠拌些料，犒勞牠。但牠不是首領。最討厭的還是那頭老黑牛，不僅老奸巨猾，而且專橫跋扈，雙套牠也會氣喘吁吁，卻佔著首領的位置。遇到外「部落」的首領，牠倒也勇敢，但不下兩個回合，便跑得比平時都快了。那頭老生牛就好，雖然比老黑牛還老，卻和藹得很，再小的牛衝牠伸伸脖子，牠也會耐心地為之舔毛……。和牛在一起，也可謂其樂無窮了，不然怎麼辦呢？方圓十幾里內看不見一個人，全是山。偶爾有攔羊的從山梁上走過，衝我吶喊兩聲。黑色的山羊在陡峭的岩壁上走，如走平地，遠遠看去像是懸掛著的棋盤；白色的綿羊走在下邊，是白棋子。山溝裡有泉水，渴了就喝，熱了就脫個精光，洗一通。那生活倒是自由自在，就是常常餓肚子。

破老漢有個弟弟，我就是頂替了他餵牛的。據說那人奸猾，偷牛料；頭幾年還因為投機倒把坐過縣大獄。我倒不覺得那人有多壞，他不過是蒸了白饃跑到幾十里外的車站上去賣高價，從中賺出幾升玉米、高粱米。白麵自家捨不得吃。還說他捉了烏鴉，做熟了當雞賣，而且白饃裡也摻了假。破老漢看不上他弟弟，破老漢佩服的是老老實實的受

苦人。

一陣山歌，破老漢擔著兩捆柴回來了。「餓了吧？」他問我。「我把你的乾糧吃了，」我說。「吃得下那號乾糧？」他似乎感到快慰。他「哼哼唉唉」地唱著，帶我到山背窪裡的一棵大杜梨樹下。「咋吃！」他說著爬上樹去。他那年已經五十六歲了，看上去還要老，可爬起樹來卻比我強。他站在樹上，把一權權結滿了杜梨的樹枝撅下來，扔給我。那果實是古銅色的，小指蓋兒大小，上面有黃色的碎斑點，酸極了，倒牙。老漢坐在樹權上吃，又唱起來：「對面價溝裡流河水，橫山裡下來些游擊隊……」那是〈信天游〉。老漢大約又想起了當年。他說他給劉志丹抬過棺材，守過靈。別人說他是吹牛。破老漢有時是好吹吹牛。「牽牛牛開花羊跑青，二月裡見罷到如今……」還是〈信天游〉。我衝他喊：「不是夜來黑嘍⑮才見罷嗎？」「憨娃娃，你還不趕緊尋個婆姨？操心把『心兒』耽誤下！」他反唇相譏。「『後溝裡的』可會迷男人？」「咦！亮亮媽，人可好！」「這兩捆柴，敢是給亮亮媽砍的吧？」「誰情願要，誰扛去。」這話是真的，老漢窮，可不小氣。

有一回我半夜起來去餵牛，藉著一縷淡淡的月光，摸進草窯。剛要攬草，忽然從草

堆裡站起兩個人來，嚇得我頭皮發麻，不禁喊了一聲，把那兩個人也嚇得夠嗆。一個歲數大些的連忙說：「別怕，我們是好人。」破老漢提著個馬燈跑了來，以為是有了狼。那兩個人是瞎子說書的，從綏德來。天黑了，就摸進草窯，睡了。破老漢把他們引回自家窯裡，端出剩乾糧讓他們吃。陝北有句民謠：「老鄉見老鄉，兩眼淚汪汪。」老漢和兩個瞎子長吁短嘆，嘮了一宿。

第二天晚上，破老漢操持著，全村人出錢請兩個瞎子說了一回書。書說得亂七八糟，李玉和也有，姜太公也有，一會是伍子胥一夜白了頭，一會又是主席語錄。窯頂上，院牆上，磨盤上，坐得全是人，都聽得入神。可說的是什麼，誰也含糊。人們聽的是那麼個調調兒。陝北的說書實際是唱，彈著三弦兒，艾艾怨怨地唱，如泣如訴，像是村前汩汩而流的清平河水。河水上跳動著月光。滿山的高粱、穀子被晚風吹得「沙沙」響。時不時傳來一陣響亮的驢叫。破老漢摟著留小兒坐在人堆裡，小聲跟著唱。亮亮媽帶著亮亮坐在窯頂上，穿得齊齊整整。留小兒在老漢懷裡睡著了，她本想是聽完了書再去飼養場上爆玉米花的，手裡攥著那個小手絹包兒。山村裡難得熱鬧那麼一回。

我倒寧願去看牛頂架，那實在也是一項有益的娛樂，給人一種力量的感受，一種拚搏的激勵。我對牛打架頗有研究。二十頭牛（主要是那十幾頭犍牛、公牛）都排了座

次，當然不是以姓氏筆劃為序，但究竟根據什麼，我一開始也糊塗。我餵的那頭最壯的紅犍牛卻敬畏破老漢餵的那頭老黑牛。紅犍牛正是年輕力壯的時候，肩峰上的肌肉像一座小山，走起路來步履生風；而老黑牛卻已顯出龍鍾老態，也瘦，只剩了一副高大的骨架。然而，老黑牛卻是首領。遇上有哪頭母牛發了情，老黑牛便幾乎不吃不喝地看定在那母牛身旁，絕不允許其他同性接近。我幾次慫恿紅犍牛向牠挑戰，然而只要老黑牛晃晃犄角，紅犍牛便慌忙躲開。我實在憎恨老黑牛的狂妄、專橫，又為紅犍牛的怯懦而生氣。後來我才知道，牛的排座次是根據每年一度的角鬥，誰奪了魁，便在這一年中被尊崇為首領，享有「三宮六院」的特權，即便牠在這一年中變得病弱或衰老，其他的牛也仍為牠當年的威風所震懾，不敢冒然不恭。習慣勢力到處在起作用。可是，一開春就不同了，閒了一冬，十幾頭犍牛、公牛都積攢了氣力，是重新較量、爭魁的時候了。「男子漢」們各自權衡了對手和自己的實力，自然地推舉出一頭（有時是兩頭）體魄最大，實力最強的新秀，與前冠軍進行決賽。那年春天，我的紅犍牛正處在新秀的位置上，開始對老黑牛有所怠慢了。我悄悄促成牠們的決鬥，把牠們引到開闊的河灘上去（否則會有危險）。這事不能讓破老漢發覺，否則他會罵。一開始，紅犍牛仍有些膽怯，老黑牛尚有餘威。但也許是春天的母牛們都顯得愈發俊俏吧，紅犍牛終於受不住異性的吸引或

是輕蔑，「哞——哞——」地叫著向老黑牛挑戰了。牠們拉開了架勢，對峙著，用蹄子刨土，瞪紅了眼睛，慢慢地接近，接近……猛地扭打到一起。這時候需要的是力量，是勇氣。犄角的形狀起很大作用，倘是兩支粗長而向前彎去的角，便極有利，左右一晃就會頂到對方的虛弱處。然而，紅犍牛和老黑牛都長了這樣兩支角。這就要比機智了。前冠軍畢竟老朽了，過於相信自己的勢力和威風，新秀卻認真、敏捷。紅犍牛佔據了有利地形（站在高一些的地方比較有利），逼得老黑牛步步退卻，只剩招架之功。紅犍牛毫不鬆懈，瞧準機會把頭一低，一晃一衝，頂到了對方的脖子。老黑牛轉身敗走，紅犍牛追上去再給老首領的屁股上加一道失敗的標記。第一回合就此結束。這樣的較量通常是五局三勝制或九局五勝制。新秀連勝兒局，元老便自願到一旁回憶自己當年的矯勇去了。

為了這事，破老漢陰沉著臉給我看。我笑嘻嘻地遞過一根紙煙去。他抽著煙，望著老黑牛屁股上的傷痕，說：「牠老了呀！牠救過人的命……」

據說，有一年除夕夜裡，家家都在窯裡喝米酒，吃油饃，破老漢忽然聽見牛叫、狼嗥。他想起了一隻出生不久的牛不老，趕緊跑到牛棚。好傢伙，就見這黑牛把一隻狼頂在牆旮旯裡。黑牛的臉被狼抓得流著血，但牠一動不動，把犄角牢牢地插進了狼的肚

子。老漢打死了那隻狼，賣了狼皮，全村人抽了一回紙煙。

「不，不是這。」破老漢說，「那一年村裡的牛死的死，殺的殺（他沒說是哪年），快光了。全憑好歹留下來的這頭黑牛和那頭老生牛，村裡的牛才又多起來。全靠了牠，要不全村人倒運吧！」破老漢摸摸老黑牛的犄角，他對牠分外敬重。「這牛死了，可不敢吃牠的肉，得埋了牠。」破老漢說。

可是，老黑牛最終還是被人拖到河灘上殺了。那年冬天，老黑牛不小心踩上了山坡上的暗洞，摔斷了腿。牛被殺的時候要流淚，是真的。只有破老漢和我沒有吃牠的肉。那天村裡處處飄著肉香。老漢呆坐在老黑牛空蕩蕩的槽前，只是一個勁抽煙。

我至今還記得這麼件事：有天夜裡，我幾次起來給牛添草，都發現老黑牛站著，不臥下。別的牛都累得早早地臥下睡了，只有牠喘著粗氣，站著。我以為牠病了，走進牛棚，摸摸牠的耳朵，這才發現，在牠肚皮底下臥著一隻牛不老。小牛犢正睡得香，響著均勻的鼾聲。牛棚很窄，各有各的「床位」，如果老黑牛臥下，就會把小牛犢壓壞。我把小牛犢趕開（牠睡的是「自由床位」），老黑牛「噗通」一聲臥倒了。牠看著我，我看著牠。牠一定是感激我了，牠不知道誰應該感激牠。

那年冬天我的腿忽然用不上勁兒了，回到北京不久，兩條腿都開始萎縮。

住在醫院裡的時候，一個從陝北回京探親的同學來看我，帶來了鄉親們捎給我的東西：小米、綠豆、紅棗兒、芝麻……我認出了一個小手絹包兒，我知道那裡頭準是玉米花。

那個同學最後從兜裡摸出一張十斤的糧票，說是破老漢讓他捎給我的。糧票很破，漬透了油污，中間用一條白紙相連。

「我對他說這是陝西省通用的，在北京不能用，破老漢不信，說：『咦！你們北京就那麼高級？我賣了十斤好小米換來的，咋啦不能用?!』我只好帶給你。破老漢說你治病時會用得上。」

唔，我記得他兒子的病是怎麼耽誤了的，他以為北京也和那兒一樣。

十年過去了。前年留小兒來了趟北京，她真的自個兒攢夠了盤纏！她說這兩年農村的生活好多了，能吃飽，一年還能吃好多回肉。她說，黑肉⑯真的還是比白肉好吃些。

「清平河水還流嗎？」我糊裡巴塗地這樣問。

「流哩嘛！」留小兒「咯咯」地笑。

「我那頭紅犍牛還活著嗎？」

「在哩！老下了。」

我想像不出我那頭渾身是勁兒的紅犍牛老了會是什麼樣，大概跟老黑牛差不多吧，既專橫又慈愛……

留小兒給他爺爺買了把新二胡。自己想買台縫紉機，可是沒買到。

「你爺爺還愛唱嗎？」

「一天價瞎唱。」

「還唱〈走西口〉嗎？」

「唱。」

「〈攬工調〉呢？」

「什麼都唱。」

「不是愁了才唱嗎？」

「咦?!誰說？」

關於民歌產生的原因，還是請音樂家和美學家們去研究吧。我只是常常記起牛群在

土地上舔食那些滲出的鹽的情景，於是就又想起破老漢那悠悠的山歌：「崖畔上開花崖畔上紅，受苦人過得好光景……」如今，「好光景」已不僅僅是「受苦人」的一種盼望了。老漢唱的本也不是崖畔上那一縷殘陽的紅光，而是長在崖畔上的一種野花，叫山丹丹，紅的，年年開。

哦，我的白老漢，我的牛群，我的遙遠的清平灣……

---

① 受苦人，即莊稼人的意思。陝北方言。

② 窯裡，即家裡之意。陝北方言。

③ 陝北方言中讀hai。

④ 猴，小。

⑤ 難活，病。

⑥ 熬，累。

⑦ 照著，望見。

⑧盛，住。
⑨苦不重，活兒不重。
⑩危險，嚴下、厲害之意
⑪大，爹。
⑫才紅了，指紅軍剛到陝北。
⑬做過啦，弄糟了。
⑭牛不老，牛犢。
⑮夜來黑嘍，昨大晚上。
⑯黑肉，瘦肉或精肉。白肉，肥肉。

後記／答自己問

史鐵生

寫作？

寫作不是為了反映生活，而是以尋找以創造去實現人生，生命就是一個尋找和創造的過程，人以此過程而為人。因此它甚至不是一項事業，它更像一個虔誠而莊嚴的禮拜。「反映」只是腳印，人走路不是為了留下腳印，但人走路必會留下腳印，後人可以在這腳印上看出某種「反映」。

人為什麼要寫作？

區分人與動物的界線有很多條，但因其繁複看似越來越不甚鮮明了，譬如「思維和語言」，有些科學家說「人類可能不是唯一能思維和說話的動物」，另一些科學家則堅持認為那是人類所獨有的。若以我這非學者的通俗眼光看，倒是有一條非常明顯又簡便的區分線擺在這兒：會不會自殺（是會不會，不是有沒有）。這天地間會自殺的只有人類。除了活著還要問其理由的只有人類。豐衣足食且身體健康忽一日發現沒有了這樣繼續下去的理由從而想出跳樓臥軌吃大量安眠藥等等千條妙計的只有人類。最後，會寫作的只有人類。

去除種種表面上的原因看，寫作就是要為生存找一個至一萬個精神上的理由，以便生活不只是一個生物過程，更是一個充實、旺盛、快樂和鎮靜的精神過程。如果求生是包括人在內的一切生物的本能，那麼人比其他生物已然又多了一種本能了，那就是不單要活還要活得明白，若不能明白則還不如不活那就乾脆死了吧。所以人會自殺，所以人要寫作，所以人是為了不致自殺而寫作。這道理真簡單，簡單到容易被忘記。

有人說寫作是為了好玩。

大概有兩種情況。

一種是：他活的比較順遂，以寫作為一項遊戲，以便生活豐富多彩更值得一過。這沒什麼不好，凡可使人快樂的事都是好事，都應該。問題在於，要是實際生活已經夠好玩了，他幹嘛還要用寫作來補充呢？他的寫作若僅僅描摹已經夠好玩了的實際生活，他又能從寫作中得到什麼額外的好玩呢？顯而易見，他也是有著某類夢想要靠寫作來實現，也是在為生存尋找更為精彩的理由。視此尋找為好玩，實在比把它當成負擔來得深刻（後面會說到這件事）。那麼，這還是為了不致自殺而寫作嗎？只要想想假如取消他這遊戲權利會怎麼樣，就知道了。對於渴望好玩的人來說，單調無聊的日子也是兇器。更何況，人自打意識到了「好玩」，就算中了魔了，「好玩」的等級步步高升哪有個止境？所以不能不想想究竟怎樣最好玩，也不能不想想到底玩的什麼勁兒，倘若終於不知道呢？那可就不是玩的了。只有意識不到「好玩」的種類，才能永遠玩得順遂，譬如一隻被嬌慣的狗，一隻馬戲團裡的猴子。所以人在軟弱時會羨慕牠們，不必爭辯說誰就是這星球上最燦爛的花朵，但人不是狗乃為基本事實，上帝頂多對此表示歉意，事實卻要

由無辜的我們承當。看人類如何能從這天定的困境之中找到歡樂的保障吧。

另一種情況是：他為生存尋找理由卻終於看到了智力的絕境——你不可能把矛盾認識完，因而你無從根除災難和痛苦；而且他豁達了又豁達還是忘不了一件事——人是要死的，對於必死的人（以及必歸毀滅的這個宇宙）來說，一切目的都是空的。他又生氣又害怕。他要是連氣帶嚇就這麼死了，就無話好說，那未必不是一個有效的歸宿。他沒死他就只好鎮靜下來。向不可能挑戰算得傻瓜行為，他不想當傻瓜，在沮喪中等死也算得傻瓜行為，他覺得當傻瓜並不好玩，他試著振作起來，從重視目的轉而重視了過程，惟有過程才是實在，他想何苦不在這必死的路上縱舞歡歌呢？這麼一想憂恐頓消，便把超越連續的痛苦看成跨欄比賽，便把不斷地解決矛盾當作不盡的遊戲。無論你幹什麼，認其為樂不比嘆其為苦更好嗎？現在他不再驚慌，他懂得了上帝的好意：假如沒有距離人可怎麼走呢？（還不都跟史鐵生一樣成了癱子？但心路也有距離，方才提到的這位先生才有了越獄出監的機會。而且！人生主要是心路的歷程。）他便把上帝賜予的高山和深淵都接過來，「乘物以遊心」，玩它一路，玩得心醉神迷不絆不羈創造不止靈感紛呈。這便是尼采說的酒神精神吧？他認為人生只有求助於審美而獲得意義。看來尼采也通禪機；說人是「生而為藝術家」的，「是生活的創造性的藝術家」。當人類舉著火

把，在這星球上縱情歌舞玩耍，前仆後繼，並且鎮靜地想到這是走在通向死亡的路上時，就正如尼采所說的，他們既是藝術的創造者和鑑賞者，本身又是藝術品。他們對無邊無際的路途既敬且畏，對自己的弱小和不屈又悲又喜（就如《老人與海》中的桑提亞哥），他們在威嚴的天幕上看見了自己泰然的舞姿，因而受了感動受了點化，在一株小草一顆沙礫上也聽見美的呼喚，在悲傷與痛苦中也看出美的靈光，他們找到了生存的理由，像卡謬的薛西佛斯那樣有了靠得住的歡樂，這歡樂就是自我完善，就是對自我完善的自賞。他們不像我這麼誇誇其談，只是極其簡單地說道：呵，這是多麼好玩。

那麼死呢？死我不知道，我沒死過。我不知道它好玩不好玩。我準備最後去玩它，好在它跑不了。我只知道，假如沒有死的催促和提示，我們準會疲疲塌塌地活得沒了興致沒了胃口，生活會像七個永遠唱下去的樣板戲那樣讓人失卻了新奇感。上帝是一個聰明的幼兒園阿姨，讓一代一代的孩子們玩同一個遊戲，絕不讓同一個孩子把這遊戲永遠玩下去，她懂得藝術的魅力在於新奇感。謝謝她為我們想得周到。這個遊戲取名「人生」，當你老了疲憊了吃東西不香了娶媳婦也不激動了，你就去忘川走上一遭，重新變成一個對世界充滿了新奇感的孩子，與上帝合作重演這悲壯的戲劇。我們完全可以視另一些人的出世為我們的再生。得承認，我們不知道死是什麼（死人不告訴我們，活人都

是瞎說），正因如此我們明智地重視了生之過程，玩著，及時地玩好它。便是為了什麼壯麗的理想而被毒釘上十字架，也是你樂意的，你實現了生命的驕傲和壯美，你玩好了，甭讓別人報答。

這是我對「好玩」的理解。

文學分為幾種？以及雅俗共賞。

我看是有三種文學：純文學、嚴肅文學和通俗文學。

純文學是面對著人本的困境。譬如對死亡的默想、對生命的沉思，譬如人的欲望和人實現欲望的能力之間的永恆差距，譬如宇宙終歸要毀滅那麼人的掙扎奮鬥意義何在等等，這些都是與生俱來的問題，不依社會制度的異同而有無。因此它是超越著制度和階級，在探索一條屬於全人類的路。當Michael Johnson跑出九秒八三的時候，當挑戰者號航天飛機爆炸的時候，當大旱災襲擊非洲的時候，當那個加拿大獨腿青年跑遍全球為研究癌症募捐的時候，當看見一個嬰兒出生和一個老人壽終正寢的時候，我們無論是歡呼還是痛苦還是感動還是沉思，都必然地忘掉了階級和制度，所有被稱為人的生物一起看

見了地獄並心向天堂。沒有這樣一種純文學層面，人會變得狹隘仍至終於迷茫不見出路。這一層面的探索永無止境，就怕有人一時見不到它的社會效果而予以扼殺。

人當然不可能無視社會、政治、階級，嚴肅文學便是側重於這一層面。譬如貧困與奢華與腐敗，專制與民主與進步，法律與虛偽與良知等等，這些確實與社會制度等等緊密聯繫著。文學在這兒為伸張正義而吶喊，促進著社會的進步，這當然是非常必要的，它的必要性非常明顯。

通俗文學主要是為著人的娛樂需要，人不能沒有娛樂。它還為人們提供知識，人的好奇心需要滿足。

但這三種文學又常常是你中有我我中有他，難以劃一條清晰的線。有一年朋友們攜我去海南島旅遊，船過珠江口，發現很難在河與海之間劃一條清晰的線，但船繼續前行，你終於知道這是海了不再是河。所以這三種文學終是可以分辨的，若分辨，我自己的看法就是依據上述標準。若從文學創作是為人的生存尋找更可靠的理由，為了人生更壯美地實現這一觀點看，這三種文學當然是可以分出高下的，但它們存在的理由卻一樣充分，因為缺其一則另外兩種也為不可，文學是一個整體，正如生活是一部交響樂，存在是一個結構。

那麼是不是每一部作品都應該追求雅俗共賞呢？先別說應不應該，先問可不可能。事實上不可能！雅俗共賞的作品是一種罕見的現象，而且最難堪的是，即便對這罕見的現象，也是樂其俗者賞其俗，知其雅者賞其雅。同一部《紅樓夢》，因讀者之異，實際上竟作了一俗一雅兩本書。既然如此又何必非把雅俗捆綁在一部作品裡不可呢？雅俗共賞不在於書而在於讀者，讀者倘能兼賞雅俗，他完全可以讀了卡夫卡又讀梁羽生，也可以一氣讀全了《紅樓夢》。雅是必要的，俗也是必要的，雅俗交融於一處有時也是必要的，沒有強求一律的理由。一定要說兼有雅俗的作品才是最好的作品，那就把全世界的書都裝訂在一起好了。這事說多了難免是廢話。

現實主義的寫作方法生命力最強嗎？

我想現實主義肯定是指一種具體的寫作方法（或方式），絕非是說「源於現實反映現實」就是現實主義，否則一切作品豈不都是現實主義作品了？因為任何一部作品都必曲曲折折地牽涉著生活現實，任何一位作家都是從現實生活中獲取創作的靈感和激情的。只要細細品味就會明白，不管是卡夫卡還是波赫士，也不管是科幻小說還是歷史小

說，都不可能不是「源於現實反映現實」的。甚至說到歷史，都是只有現實史，因為往事不可能原原本本地複製，人們只可能根據現實的需要和現有的認識高度來理解和評價歷史。所以現實主義顯然是單指一種具體的寫作方法了。

這種寫作方法最突出的一個特點就是：它是把形式和內容分開來對待的，認為內容就是內容是第一位的，形式單是形式位在其次，最多贊成內容與形式的和諧（但這仍然是分開來對待的結果）。總之最關鍵的一點——它認為內容是裝在形式裡面的，雖然應該裝得恰當。這就讓人想起容器，它可以裝任何液體，只要保護得好，這容器當然永遠可用。現實主義是一種容器，可以把所有的故事裝於其中講給我們大家聽，故事在不斷地發生著，它便永遠有得可裝，儘管有矮罐高瓶長腳杯也仍然全是為著裝酒裝油裝水用，用完了可以再用還可以再用，只要其中液體常新，便不為抄襲，確鑿是創造，液體愈加甘甜醇香，故事愈加感人深刻，便是無愧的創造。這就是現實主義寫作方法長命的原因吧。

而以「形式即內容」為特徵的一些現代流派，看似倒是短命，一派派一種種一代代更迭迅速，有些形式只被用過一次至幾次便告收場，誰膽敢再用誰就有抄襲之嫌人家一眼就認出你賣的是哪路拳腳，因而黯然而無創造之光榮了。這有時弄得現代派們很是傷

心窩火。細想其實不必。形式即內容，形式即非容器，它毋寧說是雕塑，它是實心的是死膛的，它不能裝酒裝水裝故事，它什麼都不能裝，它除了是它自己之外沒別的用場可派，它的形式就是內容你用它的形式豈不就是抄襲它的內容嗎？所以一般它不講故事，講故事也不在於故事而在於講。我想《李自成》換一種講法也還是可以的，而且用這種方法還可以講無數的故事。而《去年在馬倫巴》你就沒辦法給它換個形式，要換就只好等到「明年在馬倫巴」，而且你用這種形式所能講的故事也是非常非常有限的。既作了「形式即內容」的一派，就必須要在形式上不斷地創新，否則內容也一同淪為老朽，這不值得傷心窩火，對創造者來說這正是一派大好天地。正如把內容作首位的一派也必須在內容上時時更新一樣。

這好像沒什麼，這不過是兩條路沒什麼可爭執的了。你能說誰比誰更有生命力呢？你一定要拿「形式即容器」的形式來和「形式即內容」的形式做比較，是不公正的，是叫風馬牛拜天地。應該以前者的內容和後者的形式來比較，就清楚了，它們都需要不斷地更新創造，它們也都有偉大的作品流傳千古。

寫到這兒又想起另外一個問題。我總以為「脫離時代精神」的罪名是加不到任何藝術流派頭上的，因為藝術正是在精神迷茫時所開始的尋找，正是面對著現實的未知開始

創造，沒有誰能為它制定一個必須遵守的「時代精神」。它在尋找它在創造它才是藝術，它在哪個時代便是哪個時代的時代精神的一部分。

關於人道主義。

關於人道主義，我與一位朋友有過幾次簡短的爭論。我說人道主義是極好的，他說人道主義是遠遠不夠的。我一時真以為撞見了鬼。說來說去我才明白，他之所以說其不夠，是因為舊有的人道主義已約定俗成僅具這樣的內涵：救死扶傷、周貧濟困、憐孤恤寡等等。這顯然是遠遠不夠。我們所說的極好的人道主義是這樣的：不僅關懷人的肉體，更尊重和倡導人的精神自由實現。倘僅將要死的人救活，將身體的傷病醫好，卻把鮮活的精神晾乾或冷凍，或加封上鎖牽著她遊街，或對她百般強加干涉令其不能自由舒展，這實在是最大的不人道。人的根本標誌是精神，所以人道主義應是主要對此而言。於是我的朋友說我：你既是這樣理解就不該沿用舊有的概念，而應賦予它一個新的名稱，以便區分於舊有概念所限定的內涵。我想他這意見是對的。但我怎麼也想不出一個新的名稱。直到有一天我見一本書上說到黑澤明的影片，用了「空觀人道主義」這麼一

個概念，方覺心中靈犀已現。所謂「空觀人道主義」大概是說：目的皆是虛空，人生只有一個實在的過程，在此過程中惟有實現精神的步步昇華才是意義之所在。這與我以往的想法相合。現在我想，只有更重視了過程，人才能更重視精神的實現與昇華，而不致被名利情的佔有欲（即目的）所痛苦所捆束。精神昇華純然是無休止的一個過程，不指望在任何一個目的上停下來，因而不會怨天之不予地之不饋，因而不會在怨天尤人中讓恨與淚壅塞住生命以致營營瑣瑣。肉體雖也是過程，但因其不能區分於狗及其他，所以人的過程根本是心路歷程。可光是這樣的「空觀」似仍不夠。目的雖空但必須設置，否則過程將通向何方呢？哪兒也不通向的過程又如何能為過程呢？沒有一個魂牽夢繞的目標，我們如何能激越不已滿懷豪情地追求尋覓呢？無此追求尋覓，精神又靠什麼能獲得輝煌的實現呢？如果我們不信目的為真，我們就會無所希冀至萎靡不振。如果我們不明白目的為空，到頭來我們就難逃絕望，既不能以奮鬥的過程為樂，又不能在面對死亡時不驚不悔。這可真是兩難了。也許我們必得兼而做到這兩點。這讓我想起了神話。在我們聽一個神話或講一個神話的時候，我們既知那是虛構，又全心沉入其中，隨其哀樂而哀樂，伴其喜怒而喜怒，一概認真。也許這就是「佛法非佛法，佛法也」吧。神話非神話，神話也——我們從原始的夢中醒來，天地間無比寂寞，便開始講一個動人的神話給

生命灌入神彩，千萬個泥捏的小人才真的活脫了，一路走去，認真地奔向那個神話，生命也就獲得了真實的歡愉。就是這樣。但我終不知何以名之，神話人道主義？審美人道主義？精神人道主義？空觀人道主義？不知道。但有一點是清楚的：中國傳統文化中第二個最糟糕的東西就是僅把人生看成生物過程，僅將人當作社會工具，而未尊重精神的自由權利與實現，極好的人道主義絕不該是這樣的。

說到傳統，也許不該把它理解為源，而應理解為流。譬如老子的原話究竟是什麼意思，這是不重要的，重要的是它在幾千年的歷史中以什麼意義在起作用。將其理解為流還有一個好處，即是說它還要發展還要奔流，還要在一個有機的結構中起到作用，而不是把舊有的玩意兒搬出來硬性拼湊在現實中。

（本文編選自史鐵生散文〈答自己問〉）

愛讀書系介紹——

「愛讀」旨在出版當代最好的文學創作，涵括詩、小說、散文……等不同形式，為讀者介紹當代最可能成為經典的文學、最不可忽略的創作者。

愛讀書目——

《縫》	張耀升　著	
		王文興、張大春、袁哲生、黃錦樹、張貴興　推薦
《務虛筆記》	史鐵生　著	王安憶、李奭學、駱以軍　推薦
《通緝犯》	鯨向海　著	遲鈍、楊佳嫻　推薦
《屏息的文明》	楊佳嫻　著	楊牧、鯨向海、遲鈍　推薦
《五香街》	殘雪　著	王德威、李奭學、駱以軍　推薦
《惚恍》	阮慶岳　著	
《作家的愛情》	袁哲生、王丹、王文華……等　著	
《作家的城市地圖》	舒國治、劉克襄、紀大偉……等　著	
《帕洛瑪》	黃柏源　著	

「愛讀」歡迎創作者投稿

命若琴弦──史鐵生小說精選集

作　　者　史鐵生
總 編 輯　汪若蘭
責任編輯　林婉瑜
電腦排版　普林特斯資訊有限公司
封面構成　聶永真
社　　長　郭重興
發行人兼出版總監　曾大福
出　　版　木馬文化事業有限公司
發　　行　遠足文化事業股份有限公司
地址　231台北縣新店市中正路506號4樓
電話　02-22181417
傳真　02-22181142
email: service@sinobooks.com.tw
郵撥帳號　19588272　木馬文化事業有限公司
客服專線　0800221029
法律顧問　北辰著作權事務所　蕭雄淋律師
印　　刷　成陽印刷股份有限公司
初　　版　2004年12月
定　　價　200元

ISBN 986-7475-36-4

國家圖書館出版品預行編目資料

命若琴弦──史鐵生小說精選集 / 史鐵生 著
---初版 ---台北縣新店市；木馬文化出版：
遠足文化發行，2004 [民93]　面：　公分
ISBN 986-7475-36-4（平裝）
857.63　　93020759